JN083141

情報化社会の担い手

我が半生を彩った昭和平成の道具たち

茂出木 敏雄
Modegi Toshio

文芸社

はじめに

本書は令和二年五月に文芸社より出版した『我が半生　昭和・平成の習い事と通い事十色』の続編にあたる。

前書では、「習い事と通い事」と称して、我が半生前半の余暇活動にフォーカスした。学校生活や社会人生活については部分的に触れたところもあったが、結果的に、社会人生活を始めた頃までの余暇活動の話題にとどめることになった。社会人時代に始めた余暇活動は最終章の話題だけであり、そのため、全体的に昭和時代の話題に偏ってしまい、平成時代の出来事についてはあまり触れることができなかった。

そこで本書では、私が学校生活、社会人生活、及び家庭生活でお世話になった道具を通じて、昭和と平成前半の出来事を振り返ることとしたい。

道具といっても種々のジャンルが考えられ、広範囲になってしまうので、本書ではＤＸ（デジタル・トランスフォーメーション）の担い手であるＩＣＴ機器や、情報家電分野に関するものに限定する。

昭和から平成の時代において、我々の生活を最も劇的に変えた道具は、インターネットや携帯電話に代表されるＩＣＴ（Information and Communication Technology）機器であることに異論はないだろう。これは、電気や電話が導入されたことと同程度にエポックメイキングな出来事で、「第四次産業革命」という言い方もされる。

一九七〇年に開催された大阪万博で、携帯電話の登場については既に予言され、モックアップ（実物大模型）の展示が行われた（現在のケータイとは形態がかなり異なっていたが）。しかし、インターネットについては、その後、私が大学でコンピュータや通信工学分野の授業を受けても全く話題にも上らず、当時の専門家たちにも完全に想定外の社会インフラになった。

昭和末期頃から音楽ＣＤを筆頭に家電製品のデジタル化が徐々に進行し、情報家電と呼ばれる製品ジャンルが形成された。これらの背景にはＩＣＴ技術、特にコンピュータの「ダウンサイジング」と呼ばれる急速な小型高性能化の進化がある。

前書で述べたとおり、私が大学に入学した頃は、現在のような「情報」と名の付く学科はなく、私は電子工学科を選択した。専門課程に進む時のガイダンスで、教授が開口一番に、「これからは情報が社会基盤となる時代になり、『電子』の上位概念である『情報』を理解することが重要になる」と述べられたことが印象に残っている。

それから月日が経過し、今世紀に入って携帯電話が普及する頃からは、通信や記憶素子の進化はそれなりに続いているものの、根底にあるコンピュータの進化は鈍化している。今世紀で思いつくICT分野の主要な進化は、ワイヤレス通信の速度が4G及び5Gに向上し、携帯電話（ガラケー。フィーチャーフォン）からスマートフォンに変革したぐらいである。

進化が鈍化している理由は、現代のコンピュータが電子の振る舞いに基づくエレクトロニクス技術を活用しており、今世紀初頭において、心臓部の電子回路の駆動速度がエレクトロニクスの限界に達したからである。最新鋭のパソコンやスマートフォンに搭載されているCPU（Central Processing Unit）の中で動いている電子の速度は、既に物理的限界にきている。即ち、電子の速度を今以上に上げると、電子回路がまともに動かなくなるレベルまで進化してしまったのだ。

パソコンの処理性能の指標の一つに、CPUのクロック周波数がある。クロックとは時計の意味であるが、これはオーケストラでいう指揮者に相当し、CPU内の七億を超える楽団員（トランジスタ）が揃って演奏するように合図を送る役目を担っている。

基本的に、クロック周波数に比例してテンポ（処理速度）が向上する。この値は、私がパソコンに初めて接した一九八〇年頃は10ＭＨｚ（一秒あたりに一千万回、タクトが振られる）前後であった。その後、「ムーアの法則」に従って一年半で約二倍の比率で増加し、今世紀に入った直後に3ＧＨｚ台に達した（約三百倍）。しかし、それ以降は今日まで変化せず、3ＧＨｚ台で頭打ちになっている。

前述のオーケストラのたとえでは、タクトを速く振るほど演奏される曲のテンポが速まって、早く演奏が終了して早く帰宅できる。しかし、あまりにも速く振り過ぎると、追いつけない楽団員が増えてきて、めちゃくちゃな演奏になる。

これは、電子工学的には「表皮効果」と呼ばれる現象で、回路の導線を流れる電子が導線内にとどまって流れなくなり、表面に飛び出してくる。また、電子の動きによる発熱量も大きくなり、扇風機レベルの冷却装置では、パッケージを含めて部品が溶融し、適正な形状や機能を維持することができなくなる。

この現象を、線路を走行する電車にたとえると、車両の速度を上げていけば、やがて線路に沿って走れなくなり、車輪が線路から脱線してしまうことを指す。また、車輪と線路との摩擦熱も増加し、車輪や線路自体も金属材料が膨張または変形してしまう。

電車の場合は、新幹線より高速な車両を設計するにあたり、リニアモーターカーという、線路のない空中に浮いた状態で走らせる方法が考案され実用化されつつある。

エレクトロニクスに代わる次世代の技術として、電子より身軽な量子（光の粒など）が注目されている。二〇一一年から量子コンピュータの製品化事例も出てきて、現在はＷｅｂブラウザ経由で誰でも試験利用することができる。

最先端のスーパーコンピュータで一年以上計算しないと破ることができない暗号解読に必要な鍵が、桁違いな速さで算出できてしまうことが証明された。そのため、安全性がお墨付きのマイナンバーカードでネットワークにログインして、個人情報をやりとりするための暗号鍵が破られる日が、遠くないのではと心配されている。

幸いなことに、現状の量子コンピュータで実行できる機能はかなり限定されており、これまでのコンピュータで行ってきた機能のほとんどを代替できるほどの汎用性はない。

エレクトロニクスを基調としたコンピュータの開発は、昭和二十年頃から始まったらしい。その後、平成十年頃までは、「ムーアの法則」と呼ばれるテンポで、倍々ゲームでコストパフォーマンスが急増してきた。しかし、前述の理由により平成十年頃には技術的な限界が見えてきて、その後は今日まで低調な発展が続いている。

そこで、コンピュータの進化が目覚ましかった平成十年頃までの黄金期の出来事が、人々の記憶から忘れ去られないようにと、筆をとることにした。

さしあたり、この時代に私が大学・職場・家庭で体験して記憶している範囲で、お世話になった情報家電に関する道具をリストアップした。尚、本書では「情報家電」として、家庭で使用されるものに限らず、学校や職場で使用されるコンピュータなど情報通信機器も含めるものとする。即ち、我が半生の家庭生活、学校生活、及び社会人生活で遭遇した、情報家電に関係しそうな道具を時系列に整理した。

そして、リストアップした道具の中から、コンピュータの構成要素である、中央演算装置（CPU）、記憶装置（半導体メモリ、ハードディスク、CDなど）、入力装置（キーボード、マウス、カメラなど）、出力装置（ディスプレイ、プリンターなど）、通信・インターフェース機器（電話回線、音響モデム、接続ケーブルなど）、電源装置（バッテリー、ACアダプターなど）、アプリケーション・ソフトウェア（ワープロ、電子書籍ソフトなど）のいずれかに関連するものを十二件に選別した。

これら十二件の道具は、各年代において個々に単独で活躍した製品であるとともに、次世代のコンピュータを構成する基盤要素にもなっていることに気づいた。

本書は、これら十二件の情報家電関連の道具を、遭遇した順に一件ずつ各章に割り当てて、十二の章立てとし、時系列で述べていくこととする。

目次

第10章　ピギーバック（肩車）・ケーブル
――ＵＳＢの前身：数珠つなぎケーブル

第1章

幼少時代
（昭和39年～）

コンピュータのエネルギー源である
電源の話と、システムを統括する
クロック（時計）の話

電池より安定しているゼンマイの力

――バッテリーの前身：ゼンマイ

再利用でき、乾電池に比べ経済的なゼンマイ

物心がついた頃には、私の家の柱には振り子時計が掛けられており、寝室には目覚まし時計が置いてあった。これらの時計は電池で動いているのではなく、代わりにネジが付いていて、就寝前に親が時々ネジを巻いていた姿を思い出す。

また、私が人生で最初に出合ったおもちゃはゴジラの模型であるが、この模型も、先の時計と同様に電池で動かすのではなく、ネジが付いていた。

ゴジラの模型を分解すると、ネジの先にはゼンマイが内蔵されていることがわかった。このネジを巻き、ゼンマイをいっぱいまで巻き上げた状態でスイッチを入れると、ゴジラの手足が動きだす。一定時間使用して模型が動かなくなったら、再度ネジを巻き上げれば、元どおりにまた動きだす。

「ゼンマイ」とは、食用植物のゼンマイと類似した形態で、テープ状に薄く加工された金属が渦巻き状に巻き上げられたものである。きつく巻かれた渦巻きが、元に戻ろうとする反動で逆方向に回転する力を利用して機械を動かすことができる。

当時、マブチモーターが内蔵され乾電池で動く、電動タイプの模型も既に販売されていた。しかし、電動タイプの模型は一定時間使用してバッテリーが切れると、乾電池を新品

と交換しなくてはならない。

自宅に予備の乾電池がなければ購入しに行く手間がかかり、当然その都度お金もかかるため、子供ながら不経済に感じた。

幸い、自宅の近くの電器店に乾電池の自動販売機が置いてあり、店が開いていなくても購入することはできた。最近はコンビニでいつでも乾電池を購入できるようになったので、乾電池の自動販売機はあまり見かけなくなった。

●電子機器を動かす電源は「商用電源」と「バッテリー」

前述の時計やゴジラの模型とは異なり、本書でこれから述べる情報家電関連の道具やコンピュータは、ほとんどエレクトロニクス技術で実現されている。

電子部品で構成される電子回路を駆動するエネルギー源としては、ゼンマイのような回転力ではなく、電力のエネルギー源である電源が必要である。もっとも、電力は発電機を回転させて生成するものなので、ゼンマイで発電機を駆動して電源として使用する方法も考えられなくもないが。

さて、電源としては二種の形態がある。

まず、デスクトップパソコンのように、発電所からリアルタイムに送電される交流100Vの商用電源を用いる方法である。建物内の電源コンセントに電源ケーブルで接続して使用する。

この場合、停電にならない限り永続的に使用できる。もっとも、昭和の頃はよく停電したものだったし、停電でなくても家のブレーカーがしばしば落ちて停電のような状態になることが珍しくなかった。

欠点としては、電子機器の電源ケーブルをコンセントに差し込んだ紐付きの形態で使用する必要があるため、自由度が制約されることだ。そこで最近では、ラジオ放送と同様に電力を電波に乗せてワイヤレスで送電する技術開発もさかんになってきた。

もう一つは、ノートパソコンのように、あらかじめ電力が貯蔵されているバッテリーを、パソコン本体に内蔵させて使用する方法である。

この方法をとると、電子機器を自由に移動させることができ、モビリティ・携帯性に優れる。しかし、バッテリーに蓄積されている電力エネルギーは無尽蔵ではないため、使用しているうちに、いずれは電力が枯渇して動作しなくなるという心配がつきまとう。

このようなバッテリー切れが発生した場合には、リモコンなどに使用されている乾電池のように、新品と交換して使い捨てにするタイプ（一次電池）がある。しかし、頻繁にバッテリー切れが起きると、前述のとおり電池交換の手間が生じる上に不経済である。

そこで、ノートパソコンでは、リチウムイオン電池のように、商用電源から充電して再利用することが可能なタイプ（二次電池。蓄電池）が使用されている。

二次電池の前身としてのゼンマイの優位性

話をゼンマイのことに戻すと、ゼンマイは回転させる力のエネルギーを貯蔵できる部品と言える。回転力のエネルギーを使い果たしても、ネジを巻き上げることで再利用することができる。

蓄積されるエネルギーが、リチウムイオン電池のように電力でなく回転力であるという相違はあるが、ネジを巻くだけで再利用できる点（充電に相当）で、二次電池と類似している。

しかし、二次電池の場合、一般に再利用可能なレベルまで充電を行うには、かなりの時間がかかる。最近、自動車の電動化（ＥＶ）が進められているが、ガソリン車のようにはエネルギーの貯蔵を迅速に行えないという問題で悩まされている。

充電を行うのに最低でも三十分、場合によると数時間を要するため、路上でバッテリー切れを起こしたら、従来のガス欠のような簡単な対応では済まない。これに対して、ガソリンより軽量で二酸化炭素を排出しない水素燃料を搭載した燃料電池自動車（ＦＣＶ）も開発されてはいるが。

一方、ゼンマイの場合、いっぱいまで巻き上げるのに要する時間はわずか数秒で、ネジ以外には充電器のような特別な道具を必要としない。

さらに二次電池には、充放電を繰り返すと電力の蓄積容量が劣化するという問題が知られている。特に、ニッケルカドミウム電池の場合、電池を使い果たさない状態で充電を繰り返すと、蓄積可能な電力の容量が徐々に少なくなるという現象がある。即ち、充放電を繰り返すと、バッテリーの持ちが悪くなるのだ。

二〇一九年にノーベル化学賞を受賞された吉野彰先生の研究成果であるリチウムイオン電池により、この問題はかなり改善されたが、抜本的な解決には至っていない。

これに対して、ゼンマイは、エネルギーを使い果たさない状態で巻き上げても、稼働する時間が顕著に短くなる現象はあまり見られない。使用する素材によっては、年単位で働き続けることができる。骨董品に内蔵されている年月が経過した電池は基本的に使用できないが、ゼンマイは巻き上げれば再び動かせることが少なくない。

ゼンマイ式時計と電動式時計の安定性

ゼンマイは、十五世紀にヨーロッパで発明され、回転が安定していることから真っ先に時計に利用された。日本では江戸時代（一八五一年）に、からくり儀右衛門（田中久重）が発明した著名な「万年時計（万年自鳴鐘）」に使用されている。ゼンマイを一回巻き上げるだけで一年間、正確に時を刻み続けたらしい。

前述のとおり、幼い頃の私の家で稼働していた時計は全てゼンマイ式であった。ただし、「万年時計」ほど正確ではなく、月に一回くらいの頻度で針の位置を手動で修正する必要があった。

一方、バッテリーの元祖であるボルタの電池は、十八世紀のヨーロッパでイタリア人の物理学者ボルタにより発明されている。しかし、電池式の時計の開発は難航したらしく、当時の電動モーターでは安定した時を刻むことは困難だったようである。

精度の高い実用的な電動式時計の実現においては、キュリー兄弟により発見された水晶振動子（クォーツ）の開発を待たなくてはならず、クォーツ時計が実用化されたのは二十世紀に入ってからである。初代のクォーツ時計は米国ベル研究所により一九二七年に開発されている。

クォーツにより精度がかなり向上したが、それでも時間が経過すると誤差が生じる。そこで、標準時刻を電波で時計に送り、時計の針を校正する電波時計が開発された。さすがに、ゼンマイ式時計で、標準時刻を送出することにより時刻の自動校正機能を実現することは難しい。

コンピュータにはクロック（時計）が必須

コンピュータには当初から水晶発振式のクロックが搭載されている。これは、ファイルの生成時刻などコンピュータシステム（OSと呼ばれる）を管理するのにも使用される。しかし本来の役割は、本書の「はじめに」でも述べたように、コンピュータという膨大な部品で構成されるシステムを統括することにある。

現在のコンピュータやスマートフォンに実装されている最先端のCPU（超LSI）には、電子顕微鏡でないと見えない、七億を超える超微細なトランジスタが集積されている。これらの部品が阿吽の呼吸で動作しないと、正しい論理計算が行えない。

そのため、本書の「はじめに」で述べたとおり、各部品に合図を送る指揮者が必要になる。その役目を担うのがクロックである。クロック周波数（タクトを振る速さ）が高くなるほど、処理速度が速くなる。そして前述のとおり、速く振り過ぎると楽団員がついてこられなくなる。ただし、時刻を刻む時計のように絶対的な精度はあまり要求されず、時々テンポにふらつきが起こっても、楽団員がついてこられれば支障はない。

メトロノームは今もゼンマイ駆動がメジャー

指揮者がいない独奏や小規模なアンサンブル演奏の場合は、演奏者自身がテンポの管理を行うことになる。しかしリハーサルの際には、指揮者の代わりにテンポを指示してくれる基準となる道具があると便利である。そこで、一八一六年にドイツのメルツェルにより発明されたメトロノームが使用されることがある。

これはゼンマイ駆動の時計で、振り子の重み位置でテンポを自在に設定できるようになっている。この道具を最初に本格的に使用した作曲家がベートーヴェンであることが知られている。

即ち、ベートーヴェンの一八一六年以降の全ての作品にはメトロノームの設定数値が明記されているのだ。そのため、どんな指揮者が振っても、ベートーヴェンの「交響曲第九番」の総演奏時間は七十四分前後に収まり、第11章で述べる音楽CDの収録時間の規格に採用された経緯がある。

電子音楽が普及している現代では、電子式メトロノームも登場しているが、未だにゼンマイ駆動のメトロノームがメジャーであることに変わりはない。

私が子供の頃、妹がピアノを習い始めてアップライトピアノを購入した際に、メトロノームも導入した（椅子やピアノカバーと同様に楽器店のサービス品だったのかもしれない）。もちろん、当時販売されていたメトロノームは全てゼンマイ駆動であった。

音楽プレーヤにおけるゼンマイの優位性

物心がついた頃に、私の家にはオルゴールとＬＰレコードプレーヤがあり、オルゴールはゼンマイ式だった。レコードプレーヤは残念ながら電動式だったが、それは当時（現代でも）、ゼンマイ式の蓄音機が高価だったためである。値段が高い分、ゼンマイ式のプレーヤの方が、再生音が安定していた。

デジタル音楽が優勢の現在でも、ＬＰレコードはそれなりの人気があるが、特にアナログ再生の場合は、ターンテーブルの回転安定性が音質に直接、影響する。

これに対して、デジタルのＣＤプレーヤの場合は、回転ムラが多少あっても再生音質には影響しない。たとえ回転速度が二倍になっても、再生速度は元のテンポを維持できる。それは、読み込んだデータ（「セクタ」と呼ばれる）の各々に記録されている時刻情報に基づいて再生タイミングをとっているためである。

今日では電動式のレコードプレーヤでも、モーターのデジタル制御により、ゼンマイ式と同程度の回転安定性を持たせることができる。それでも未だにゼンマイ式にこだわるマニアもいる。

前述の、ゼンマイで発電機を回して電源として使用するという構成の他に、電動モーターでゼンマイを巻き上げて安定した回転力を実現するという構成も考えられる。

コンピュータの出力装置の一つであるプリンターの話と、複写機メーカーによりパソコンのアイデアが生まれた話（含：コンピュータなど電子機器の中枢であるプリント基板の製造にも活用されているスクリーン印刷の元祖の話）

ガリ版と青焼き

——プリンターと複写機の前身

●学校内の簡易印刷機「ガリ版」はインクジェット印刷の元祖

私が小学生から高校生までの間、事務連絡書類や試験問題など、学校から配布される簡易印刷物（「プリント」と呼ばれていた）は、全て謄写版印刷機（ガリ版）で刷られていた。

ここでいう簡易印刷とは、書籍・雑誌・新聞などのように印刷会社（または社内の印刷部門）に依頼して刷ってもらう商用の印刷物ではなく、学校内で先生方が自分たちで作成するプリントを指す。今日では、パソコンとワープロソフト及びプリンター複合機を用いて、インハウスで作成されるプリンター出力物に相当する。

私が小学校の高学年になった頃からは、生徒が「学校新聞」などを自分たちで印刷して皆に配布する機会が与えられた。即ち、ガリ版印刷の原版を自分たちで作成し、謄写版印刷機に触れることができたのだ。

「謄写版印刷」とは、孔版印刷方式を用いたもので、版上でインキを載せる領域（画線部）に孔を開ける方法である。紙に版を載せて、インキをローラーやバレンで全面に塗れば、版上の孔が開いている領域にだけインキが転写される。

また、当時プリントに使用されていた紙は今日のような白い普通紙ではなく、茶色のわら半紙であった（現在は普通紙より高価らしい）。

「孔版印刷」は、かつて年賀状印刷の定番ツールとして流行した、理想科学工業の「プリントゴッコ」でも採用されていた方式である。今日でも、Tシャツへの印刷や、電子部品を載せるプリント基板の印刷で用いられるスクリーン印刷も、同じ孔版印刷方式だ。

この方式において、孔を開けた版を作成せず、孔に対応する位置に、インキノズルをロボット制御で移動させてインキの粒子を噴射させれば、版なしでも印刷が可能になる。これが現在、コンピュータのプリンターとしてさかんに使用されているインクジェット印刷方式である。したがって、ガリ版印刷はインクジェット印刷の原点ともいえるのだ。

ガリ版印刷の工程

ガリ版印刷の版は「油紙」と呼ばれる薄いシート状のフィルムである。これを「ヤスリ板」という台に載せて、上から「鉄筆」で文字を書いたり絵を描いたりすることにより、鉄筆のストロークに沿って微細な孔が開き、製版が行える。

油紙には原稿用紙と同様なマス目があらかじめ印刷されており、手書き文字でも整然としたレイアウトで書けるように工夫されていた。また、途中で書き損じが生じた場合には、修正液を塗れば書き直しが可能である。

私が中学に上がる頃に「ボールペン原紙」が発明され、この原紙の上にボールペンで書くだけで製版が可能になり、ヤスリ板や鉄筆が不要になった。もちろん、ボールペン原紙用の修正液も用意されていた。

また、英文や和文のタイプライターがあれば、ボールペン原紙をセットして活字を打ち、それで製版を行うことも可能であった。中学校の英語の試験問題などの一部には、教師が英文タイプで作成したものもあった。

ガリ版印刷は版画と同様に、一枚ずつ紙の上に原紙を密着させて、上からゴムローラで手作業によりインキを浸み込ませる方法が基本である。これに加え中学校では、原紙を版胴にロール状にセットして、ハンドルを回転させながら複数の紙を連続的に印刷できる輪転機タイプ（正確には「枚葉印刷機タイプ」）も導入されていた。

印刷会社の主流は「オフセット印刷」

一方、印刷会社が主に採用している印刷方式は「平版印刷」である（版画では「石版画」と呼ばれる）。

これは、版の表面のインキを載せる領域（画線部）が親油性に、それ以外の領域（非画線部）が親水性になるように、化学的な加工を施す方法である。このように加工された版全体に油性インキを塗って水を流せば、親油性の画線部だけにインキが残り、紙に転写できる。

版自体は凹凸がない平板だが、水と油の反発作用により画像が形成される。ガリ版印刷のように版自体に孔を開けたり、印鑑や木版画（活版印刷方式）のように彫刻したりするような機械的な加工を施さない。そのため、解像度が高い高品質な印刷物が得られるという特徴がある。

しかし、水にぬれた版をそのまま紙に直接転写する方法をとると、インキがにじみやすくなってしまう。そこで、通常は版から「ブランケット」と呼ばれるゴムローラに一度転写させてから、紙に再転写する方法をとっている。この印刷方法は、平版方式の中でも「オフセット印刷」と呼ばれる。

ただし、このオフセット印刷方式もマイナーになりつつあり、今後は「デジタル印刷（オンデマンド印刷とも呼ばれる）」方式が印刷会社の主流になりそうである。既にコンピュータの出力機として使用されている、前述のインクジェット方式や後述の静電印刷方式のプリンターの品質や出力速度が商用のオフセット枚葉機と肩を並べるレベルに進化したためだ。物理的な版が不要になるので（ＤＴＰで作成されたＰＤＦデータがバーチャルな版になる）、製版（特に印刷機に装着する刷版を製造する）作業及び印刷中の版替え（ブランケット洗浄も必要）作業がなくなり、印刷コスト及び納期が削減する。また、一部しか刷らない単品の印刷受注にも対応可能になる。「デジタル印刷」は、グーテンベルグ以来の印刷革命、あるいは印刷業界におけるＤＸといえる。

●「青焼き」複写機との遭遇

私が大学に入る頃には、事務連絡書類や試験問題など校内で配布されるプリントの作成に、「青焼き」と呼ばれる複写機が多用されるようになった。

当時の複写機は、原稿に印画紙を密着させて光を当て、透過光により印画紙に焼き付けて現像する方法がとられていた。そのため、鮮明なコピーを得るためには、できるだけ透明度が高い紙を用いて原稿を作成することが要求される。それでも、ガリ版印刷のように特殊な原紙を用いて専用の版を作る必要はなく、ボタン一つで自動的に大量の複写プリントが作成できるため、圧倒的に作業負荷が軽減された。

世界で最初の複写機は、蒸気機関の発明で有名なジェームズ・ワットにより、一七七九年に発明された。そして、一九二〇年にドイツでジアゾ式複写機が発明され、それを日本のコピア株式会社（現在はキヤノンの傘下）が、一九五一年に小型のジアゾ式複写機として開発・販売した。「青焼き」とは、このジアゾ式複写機を用いてコピーを作成することを指す。

「ジアゾ式」とは、ジアゾ化合物が塗布された印画紙に原稿を密着させて紫外線を当てると、非画線部の領域のジアゾ化合物が溶ける。そして現像処理により、画線部に残ったジアゾ化合物を発色させる方法である。

色素として青色が用いられることが多かったので、「青焼き」と呼ばれ、材料が、後述するトナーに比べて安価であることから、現在でも主に大判図面のコピーに使用されている（「青写真」という言い方もされる）。

静電方式の普通紙複写機との遭遇

「青焼き」の場合は特殊な印画紙を使用する必要があるが、私が大学の高学年になった頃には、普通紙に複写できるＰＰＣ（普通紙複写機：Plain Paper Copier）も使用できるようになった。ＰＰＣは、「青焼き」複写機に対して「白焼き」複写機と呼ばれることもある。

ただし、材料のトナーが非常に高価だったため、学生にはなかなか使わせてもらえず、本格的に使用するようになったのは私が社会人になってからである。

また今日でも、大量部数の複写を行う場合にはＰＰＣは不経済なため、前述の「プリントゴッコ」を開発した理想科学工業の「リソグラフ」が使われることもある。これは、原稿を読み込んでガリ版と同様な孔版を自動的に製版し、孔版印刷により複製を行うものだ。

静電方式のＰＰＣは、別名「ゼロックス」とも呼ばれるが、一九三八年に米国のチェスター・Ｆ・カールソンにより発明されたゼログラフィ技術を基に、現ゼロックス社が製品化したものである。これは、原稿のパターンに基づいてレーザー光により感光体を帯電させ、そして現像処理により感光体にトナーを塗布して、普通紙に静電気で転写する。

原稿をスキャンする機構を持たせずに、原稿のパターンをデジタルデータとして直接与えるようにしたのが、レーザー方式のプリンターである。前述の通り、インクジェット方式とともに、現在、コンピュータ用の出力機としてだけでなく、印刷版を不要とするオンデマンド型商用印刷機としても使用されている。

ゼロックス社はパソコンの父

前述のゼロックス社は米国パロアルトに研究所（ＰＡＲＣ）があり、複写機分野に限らず広範なＩＣＴ分野の研究を行っている。その中でも顕著な貢献は、一九七三年に開発された「Ａｌｔｏ」と命名されたパーソナルコンピュータである。

それまでのコンピュータは高価（当時の価格で十億円は下らない）、そして大型であったため、フロアの中央に鎮座させて複数のユーザがシェアして使用する形態だった。これに対してゼロックス社の「Ａｌｔｏ」は、各人がそれぞれ一台のデスクサイド（デスクトップ、ラップトップは将来構想）のコンピュータを占有して使用するというコンセプトを提案したのである。

ちなみに、同研究所（ＰＡＲＣ）のアラン・ケイはタブレット型パソコンの構想も出しており、それは偶然にも東芝のノートパソコンの商標と同じ「ダイナブック」と命名されていたのが興味深い。

インターネットやＭａｃも生み出したゼロックス社

コンピュータがパーソナル化され、各ユーザが個別にコンピュータを使用するようになると、新たな弊害も発生する。これまでのように隣に座っているユーザからソフトウェアやデータを拝借することが困難になるのだ。

そこで「Ａｌｔｏ」において、「イーサーネット」と呼ばれるローカル・エリア・ネットワーク（ＬＡＮ）の機能が提案された。このＬＡＮを、別の地域のＬＡＮと次々とつなげて、地球規模に拡大させたＷＡＮ（ワイド・エリア・ネットワーク）が、今日のインターネットである。

また、これまでのように英文字が並んだ画面に対して、「ウィンドウ」と呼ばれるグラフィカル・ユーザインタフェースが搭載され、画面分割された一つのウィンドウに対して、マウスを用いた直観的な操作が提案された。

このウィンドウの概念を最初に商用化したのが、アップル社のＭａｃであり、その後マイクロソフト社が汎用パソコン（「ＤＯＳ／Ｖ機」と呼ばれるＩＢＭ-ＰＣ互換機）に実装している。

即ち、コンピュータの出力機器であるレーザープリンターの基盤を作った複写機メーカーとして著名なゼロックス社が、今日のパソコンやネットワークの基礎も築いたのだ。ただし、同社はコンピュータ自体を製造するメーカーにはならなかった（一時的に製品を出したが、即、撤退した）。

第3章

学生時代
（昭和44年～）

コンピュータの出力装置の一つ、
表示装置（ディスプレイ）の話

ブラウン管テレビと高精細化

――液晶ディスプレイの前身

大量の紙が必要だった昔のコンピュータ

パソコンが登場する頃には、入力装置としてキーボードが、出力装置としてディスプレイが、既に使用可能になっていた（マウスが普及し始めたのは一九八四年の初代Ｍａｃ登場から）。しかし、この形態になるまでには、コンピュータの仕組みにおいて第一段階のブレークスルーが必要であった。

私が大学で日立製の大型コンピュータを用いて実習を行った頃は、ちょうどキーボードとディスプレイを搭載した端末装置が導入された時期だった。私より前に入学した先輩方は、入力装置として「パンチカード」読み取り機、出力装置として「ラインプリンター」が必要な形態で、とにかく大量の紙を使用していた。

「パンチカード」は、現在でも利用されるマークシートと類似したものである。ただし、鉛筆で塗りつぶすだけではなく孔を開ける必要があり、タイプライターのような機械でキー入力して、カードに孔を開ける作業をする（この作業を専門に行う「キーパンチャー」と呼ばれる職種もあった）。

その後は、孔を開けなくても、今日のように手作業で塗りつぶすだけで読み取りが可能になった。さらに、パンチカードを出力しなくても、キー入力するだけで文字データをコンピュータに直接転送できるキーボードも開発された。

ＩＢＭ社仕様のカードでは、一枚のカードにプログラムの一行分（英文字八十文字以下）しか記述できない。そのため、百行のプログラムでは百枚のカードが必要になる。業務用プログラムでは大量のカードが必要で、しかも使い捨てのため、不経済であった。

一方、「ラインプリンター」は、今日のプリンターのようにページ単位にイメージを印字するのではなく、一行ずつ英文字を印字する機構になっていた。即ち、英文タイプライターの出力側を遠隔制御で自動的に動かすようなものである。

用紙としては、トイレットペーパーのような連続用紙（「ストックフォーム」と呼ぶ）を使用する。ページ単位にミシン目が施されており、印字された最後のページを手動で切り離すようになっていた。

紙を用いたマルチユーザさばき

このように、入力にも出力にも大量の紙を使用する必要があった理由は、コンピュータのＣＰＵがハードウェア的に一つの仕事しかできないためである（この制約は基本的に今日でも変わらない）。

ユーザが十人いれば、十人分のジョブ（プログラムで指示された仕事）が記述されたパンチカードの束を、早いもの順に一人分ずつコンピュータに入力する。入力されたジョブは、ＣＰＵが空いていれば計算処理が開始されるが、前のジョブが実行中の場合は待たされる。

しかし、前のジョブが実行中の状態でも、パンチカードで次の人のジョブを投入して読み込ませることは可能である（「待ち行列に投入される」と呼ばれる）。この、ジョブを投入する作業は、会社の管理職の「未決箱」に承認印を希望する書類を置くのと類似している。管理職の意思決定が遅くても、未決箱に大量の書類を積み上げることはできる。

そして、ＣＰＵで一人分のジョブの計算処理が終了すると、計算結果がラインプリンターに出力される。ラインプリンターが一台しかなく、出力ページが多い場合は、出力時においても待たされることがある。

このように、紙入力―紙出力の形態をとれば、単一のＣＰＵまたはラインプリンターで、見かけ上は多数のジョブをさばくことができる。前述のたとえでは、管理職の「既決箱」に書類が投入されるということだ。

複数のユーザとのリアルタイム対話処理という問題

コンピュータの入出力機器として、ディスプレイやキーボードを使用可能にするためには、技術的なハードルがあった。

複数のユーザから入力される文字データを同時に受け付け、計算結果を文字データとしてディスプレイに返す処理を、リアルタイムに実行させる必要がある。

ディスプレイとキーボードで構成される端末機はユーザごとに与えられるため、全ユーザが同時にプログラムやデータの文字入力を行うことは可能である。しかし、複数のユーザが入力したプログラムに基づいてジョブの実行を指示したら、ＣＰＵで先着順に一つずつ処理する必要がある。

この時、先行ユーザが長時間の処理が必要なジョブを実行させると、次のユーザのジョブがたとえ短時間で済むものであっても、なかなか処理が開始されずに、長時間待たされることになる。

たとえるならば、先行するＡさんが複写機で千部のコピーをとる作業をしている最中に、Ｂさんが一部のコピーをとるために順番待ちをすることであり、Ｂさんはかなりイライラする。

そこで、「TSS（Time Sharing System）」と呼ばれる手法が提案された。これは、複数のユーザからリクエストされたジョブを細かい小ジョブに分割し、時分割に各ユーザの小ジョブを高速に切り換えながら処理する方法である。

前述のコピー作業のたとえでいうと、全てのコピー作業を一部単位の小ジョブに分割すれば、千部のコピーを行っているAさんの作業は千件の小ジョブに分割されることになり、Bさんのジョブはそのまま一件の小ジョブになる。このAさんのコピー作業が一部（小ジョブ一件分）終了したら一旦作業を中断し、Bさんの作業に切り換える。そして、Bさんの作業が終了したら（Bさんはこれで全ジョブが終了）、再びAさんの次の一部のコピー作業を再開するのである。

Aさんの作業は一瞬だけ中断して若干遅れが生じるが、千部のコピー作業全体に要する時間に比べると、その遅れは微々たるものだ。これに対して、Bさんの作業は速やかに着手され、速やかに終了するため、Aさんにそれほど迷惑をかけずに、Bさんの満足度は顕著に向上する。

このようにして、単一のCPUで、疑似的に複数のユーザのジョブを同時処理しているように見せかけることができる。即ち、一台のコンピュータに対して、数十台の端末機を接続し、数十人が疑似的にコンピュータを同時に使用することが可能になったのである。

パソコンディスプレイはブラウン管テレビだった

モノクロディスプレイとキーボードで構成されるコンピュータのＴＳＳ端末機としては、当時は米国旧ＤＥＣ社（Digital Equipment Corporation）の「ＶＴ１００」が業界標準だった。一行あたり英文字半角八十文字で、二十五行が表示可能。画面解像度としては、横６４０×縦４８０画素で、「ＶＧＡ（Video Graphics Array）」と呼ばれる規格になった。各半角文字のフォントサイズは８×16ドットになる。

前書で述べたように、私が社会人になって（一九八二年）最初に購入したパソコンは、東芝の「パソピア7」である。当時は、パソコン本体（当然デスクトップのみ）がキーボードに組み込まれている形態が多かった。というより、平板な本体の上にキーボードが直付けされ載っていた。要するにディスプレイがないノートパソコンのような形態である。

パソコン本体にはオーディオ端子とビデオ端子が付いていて、オーディオ端子にはカセットテープレコーダをつなげて、今日のハードディスクのようにオーディオカセットにデータファイルを保存するのに使用した。

ビデオ端子は二種類あり、今日のパソコンと同様にコンピュータ用ディスプレイを接続できる他、家庭用のブラウン管テレビをアンテナ線経由で接続するＲＦ（Radio

Frequency）端子も付いていた。当時、コンピュータ用ディスプレイは、家庭用テレビと性能上は大差ない割に高価だったため、家庭用テレビが使われることも多かったのだ。

「ＲＦ端子」とは、現在のテレビにも付いている、アンテナケーブルを接続する端子である。当時は、地上波アナログ放送のＶＨＦ帯で空いている2チャンネルが使用された。また、ＵＨＦチューナーが内蔵されていても使用頻度が低いため、ＵＨＦ帯の13チャンネルが使用されることもあった。

ＶＨＦアンテナからのケーブルに、パソコンのＲＦ端子からのアンテナケーブルを、混合器を通して合流させ、家庭用テレビに接続する。そうすると、テレビを2チャンネルにすれば、地上波アナログ放送の代わりに、パソコン画面に切り替えて表示させることができた。

ブラウン管テレビの走査線が五二五本に対して、東芝「パソピア7」の場合、パソコン画面の解像度は、モノクロの場合は横640×縦400ドットだった。カラーの場合は横640×縦200ドットに半減させれば、同時に八色の疑似カラー表示が行えた。

パソコンディスプレイとしてのブラウン管テレビの弱点
「飛び越し走査」

ＮＴＳＣ方式の地上波アナログ放送では、五二五本の走査線の画面を、毎秒30フレームのレートで表示する。しかし、フレームごとに五二五本の走査線を全て書き換えると、フリッカー（ちらつき）が発生するため、「飛び越し走査（インターレース）」という方法をとっていた。

これは、フレームレートの二倍である毎秒60フレームのフィールドで画面を更新する方法だ。奇数番目のフィールド（フレームに対して半分に間引きされた画像）では五二五本のうち奇数番目の二六二・五本の走査線のみ書き換え、偶数番目のフィールドでは偶数番目の走査線のみ書き換える。そうすると、伝送する走査線数（情報量）は毎秒30フレームのレートと変わらないが、画面が更新される速度が二倍になり、動きの速い被写体の再現性が向上するというメリットがある。

しかしこの方法も、動きのあるテレビ番組には適しているが、字幕などコントラストの高い静止画では、文字の輪郭部にちらつきが発生するという問題がある。特に、コンピュータ画面は文字が並んだ静止画の形態で表示されることが多い。即ち、動画のちらつき防止策として考案された飛び越し走査が、かえって静止画のちらつきを増やすことになってしまったのだ。

その後、コンピュータ用ディスプレイのハイビジョン化、高精細化が進められるにあたり、飛び越し走査をやめて、「順次走査」(「ノンインターレース」または「プログレッシブスキャン」と呼ばれる)方式に移行した。さらに、動画のちらつきを減らすため、フレームレートを毎秒60から120に増やすようになった。

●液晶を用いたディスプレイの高精細化

私が大学生の頃、電卓の表示デバイスとして、ネオン管の代わりに「液晶」が使用され始めていた。しかし、当時の電子工学科の先生方によると、液晶がブラウン管に代わってテレビのディスプレイデバイスとして採用される可能性は低いという見解であった。

その理由は、液晶ではブラウン管のような豊かな階調表現ができず、動きの速い動画に追従することが難しいからである。液晶デバイスのこれらの問題は、実は今日でも解決されていない。

一時、ブラウン管と類似した発光特性を持ち、フラットパネル化が可能な「プラズマディスプレイ（ＰＤＰ）」が開発され、これらの問題が解決されるかと思われた。しかし、液晶のような高解像度・大型化には行き詰まってしまい、結果的に撤退を余儀なくされた。

そこで改めて液晶が主流になったが、この問題を解決する策としては現在「有機ＥＬ」が有望視されている。

ただし、液晶ディスプレイは大画面・高解像度化が容易だという特徴があるため、ブラウン管と同等な階調表現を疑似的に実現している。また、画面更新速度を毎秒１２０フレーム等に上げて、動画の追従性を疑似的になんとか向上させている。

ディスプレイのデバイスとしてブラウン管から液晶に移行すると、大型化と高精細化が一気に進んだ。

ブラウン管ディスプレイの高精細化

ここで話を前に戻して、ブラウン管方式でどこまで高精細化の開発が進んだかについて述べておく。

走査線一一二五本でインターレース方式の高品位テレビ（画面縦横比率：5対3、つくば万博暫定仕様）、ハイビジョン（画面縦横比率：16対9）では、最大40インチまでのブラウン管テレビが開発された。しかし三〇〇キログラム近くあって、とにかく重く、これ以上の大型化はガラスが管外の大気圧にもたないため実現困難と言われた。

ノンインターレース方式のコンピュータ用ディスプレイとしては、横1280×縦1024画素（画面縦横比率：5対4、SXGA）が開発され、20インチ前後のサイズで、ワークステーションと呼ばれたデスクサイドのコンピュータやパソコンで最もよく使用された。

レーダー観測などの特殊用途として、ソニーからトリニトロン方式フルカラーで横2048×縦2048画素（36インチ）という超高解像度のブラウン管ディスプレイも開発された。しかし、地磁気の影響を受けやすく、設置する場合に方角が重要であり、使用している間に色ズレが発生しやすく、保守が大変であった。

●ブラウン管テレビの隠された機能「帰線」

ブラウン管は「陰極線管（CRT：Cathode Ray Tube）」とも呼ばれ、電子銃から放射される電子ビームを、ブラウン管の前面裏の蛍光体にぶつけることにより映像を形成している。この時、電子ビームを電磁石で水平方向と垂直方向に走査（スキャニング）することにより、矩形形状に広がった映像を形成できる。

左端から右端に向けて水平方向に走査すると同時に、上端から下端に向けて垂直方向に走査する。飛び越し走査の場合は五二五本の半分の走査線で構成される矩形の映像が基本的に描画される。

走査中に電子ビームの強さを蛍光体の位置（画素に対応）ごとに変化させることにより、映像に輝度階調を付加できる。さらに、電子ビームを三本に増やして、シャドウマスクを介して、赤緑青の三原色の蛍光体に当たるようにしたのがカラーテレビである。

左端から右端に向けて水平方向に移動した電子ビームは、すばやく左端に戻されて、再度水平方向に走査を開始する。ただし、後述するように垂直方向にも同時に動いているため、戻される左端位置は元の位置より若干下方にずれる。この電子ビームを左端に戻す期間は「水平帰線期間」と呼ばれる。

同様に、上端から下端に向けて垂直方向に移動した電子ビームはすばやく上端に戻されて、再度垂直方向に走査を開始する。この電子ビームを上端に戻す期間は「垂直帰線期間」と呼ばれる。

●「帰線期間」に秘密の情報を埋め込む

「水平帰線期間」及び「垂直帰線期間」は極めて短い時間だが、電子ビームの強度を強制的に0にして映像として映らないように制御されている。そのため、帰線期間は「ブランキングタイム」とも呼ばれる。仮に帰線期間の映像信号に何か信号が乗っていても、0レベルのフラットな強度に変更されて、映像としては映らない（故障すると帰線が画面に映ることがある）。

前述のとおり、NTSC方式の地上波アナログ放送では、五二五本の走査線で映像が形成されているが、そのうちの約四五本は垂直帰線期間に含まれるため、実際には四八〇本前後しか映らない。

そこで、この特性を逆手にとって、映らないブランキングタイムに秘密の制御信号を意図的に乗せようというアイデアが考案された（「情報ハイディング」と呼ばれる）。当初は同期信号だけだったが、文字などのデジタル情報も乗せられるようになった（文字多重放送）。

即ち、アナログテレビを用いたアナログ放送で、小容量のデジタルデータの伝送が可能になったのだ。代表的なアプリケーションが、「電子番組ガイド（ＥＰＧ：Electronic

Program Guide)」である。これにより、第6章で述べるアナログのビデオレコーダでも電子番組表を用いた効率的な録画予約を可能にした。

しかし、液晶や有機ＥＬなどを用いたデジタル化されたテレビでは、走査線を用いる機構はないため、このようなデジタル情報を埋め込む機能は実現できなくなった。

スライド映写機とOHP
——データプロジェクターの前身

プラネタリウムとの出合い

私が最初に「プロジェクター」と出合ったのは小学生の頃で、それは映画館の35・70ミリフィルムの映写機や、博物館・科学館に設置されている35ミリフィルムのスライド映写機だった。

また、学研の「科学と学習」という小学生対象の雑誌の付録にプラネタリウムが付いていたことがあり、安価な子供向けのプロジェクターではあるが感激した。現在、同社が発行している『大人の科学マガジン』という付録が付いている高額な雑誌でも、プラネタリウムの復刻版が販売されている。

「科学と学習」の付録の方は、星座のパターンが印刷された紙製のボール（シート状に展開できる多面体）で、投影用光源として市販の懐中電灯を挿入できるようになっていた。また、使用するにあたっては、印刷されている全ての星の位置に、はじめに自分で穴を開ける必要があった。道具として、当時どこの家庭にもあった、牛乳瓶の紙製フタを開ける針が使われた（針が星座の孔に丁度よい太さで、カバーが付いているので小学生も安全に使えた）。

そしてボール状に組み立てて、底の部分に懐中電灯を横から挿入し、真っ暗な部屋に持ち込む。懐中電灯のレンズ部分は外して、豆電球を露出させた状態で挿入した方が効果的だった。そうすると、天井や壁に穴を開けたパターンで形成される星座を映すことができるのだ。

特に、浴室に持ち込むと迫力があった。部屋が狭いので星が明るく鮮明に映り、天井や壁に付着したしずくで光が屈折し、迫力が増した。また、白い日傘をドーム状のスクリーンとして使用すると、星座の位置関係を正確に映し出すことができた。

その後、同雑誌の付録で、バージョンアップされたプラネタリウムが再度登場したことがあった。これはプラスチック製で形状は紙製と同様に星座が印刷されており、同様に星の位置に自分で穴を開ける必要があったが、最初から球体になっているので加工しやすかった。そして、球体の底に付属の豆電球を取り付け、ボールの外側に付属の電池ボックスを接続すると、先の懐中電灯を挿入するプラネタリウムよりも鮮明な星空を投影することができた。

当時、渋谷の東急文化会館内に天文博物館があり、その中に五島プラネタリウムが設置されていた。ここでは本格的な原寸大の大型プラネタリウムを楽しむことができたので、私は時々足を運んだ。また、現在でもある北の丸公園内の科学技術館では、八台の映写機が円周上に配置されてドーム型スクリーンに投影され、全周映画を楽しむことができる（シンラドーム）。

学校教育での「スライド」と「ＯＨＰ」の活用

私の中学生時代には、35ミリフィルムのスライド映写機や、オーバーヘッドプロジェクター（ＯＨＰ）が時々教室に持ち込まれて、授業が行われることがあった。

また近隣の図書館では、16ミリフィルム映写機を用いた映画観賞会が時々開かれ、駅前の映画館では観ることができない記録映画などを鑑賞できた。印象に残っているのが、一九七四年公開の日本とソ連の合作映画『モスクワわが愛』（主演：栗原小巻）で、字幕スーパー版のため、私はそこで初めてロシア語に接した。これは、ロードショー向けに35ミリフィルムで制作された映画を、公民館などで放映できるように16ミリフィルムにダビングしたものと思われる。

スライド映写機向けの原稿を作成する場合、35ミリフィルムをカメラに装着して撮影・現像する必要がある。ただし、通常の写真撮影に使用するネガフィルムとは異なる「リバーサルフィルム（ポジフィルム）」を用いる。

通常のネガフィルムで撮影した場合は、再度ネガフィルムに反転焼き付けするという特殊な作成手法もあったが、良好な画質は得られなかった。今日では、パソコンの写真加工ソフトでデジタル的に高画質にネガポジ反転が簡単にできるようにはなっている。

　これに対して、ＯＨＰ向けの原稿は、透明なフィルムシートにサインペンで描画するだけでカラフルな原稿を簡単に作成できた。ＯＨＰシートにはトナーも付着するため、第2章で述べた普通紙複写機でＯＨＰシートに複写することもできた。手書きで紙に書いた原稿や、第9章で述べるワードプロセッサで出力した原稿からも、簡単にＯＨＰ原稿が作成可能になった。コピー機に紙原稿をセットしてＯＨＰ向けのフィルムシートに複写することにより、美しいＯＨＰ原稿が簡単に作成できるのだ。その後、カラーＰＰＣ複写機が開発されると、コピー操作によりカラーＯＨＰ原稿の作成も可能になった。

　ＯＨＰシートの上に別のＯＨＰシートを切り貼りして重ねて投影することもできた。例えば、重ねるシートの隅を基板となるＯＨＰシートにセロハンテープであらかじめ固定しておく。そして、プレゼンテーション中にシートを重ねて見せることにより、アニメーション効果を狙った技法もしばしば行われた。今日のパワーポイントのスライドショーとは比肩にならないが。

　このように、ＯＨＰは原稿作成が簡単であり、35ミリスライドのように現像を依頼する必要もないため、小学校から大学までの学校教育はもちろん、前世紀までは会社の会議での投影ツールとして使用され続けた。パワーポイントとパソコン用プロジェクターが登場するまで、学会発表、企業での会議やプレゼンテーションで頻繁に広範に利用されていたのだ。

●CG画像でスライドやOHP原稿の作成

私が社会人になってすぐの昭和六十年前後に、業務で三次元コンピュータ・グラフィックス（CG）の研究開発を行っていた。

ちなみに、CGには二次元と三次元の二種があり、二次元のCGは、漫画やイラストのようなものをコンピュータ上で描画することである。これに対し三次元CGは、人工的に写真撮影したような画像を生成することを可能にする技術だ（「フォトリアリスティック・レンダリング」と呼ばれる）。コンピュータ内の三次元座標系に定義された仮想的な立体物に対して、仮想的な光源に基づいて光の陰影計算を行い、リアルな画像を生成する手法である。

当時のコンピュータの性能でも、数週間という計算時間を厭わなければ、写真より高精細で綺麗なフルカラーの画像データを、コンピュータ内にいくらでも生成できた。しかし、

第2章で述べたプリンターや、第3章で述べたコンピュータ用ディスプレイなど、当時の出力機器の性能では、コンピュータで作成されたＣＧ画像を、フルカラーで計算された精細度で忠実に出力して確認することは難しかった。

比較的まともなカラーハードコピーを得る方法として、コンピュータ用ディスプレイにＣＧ画像を表示させて、35ミリの一眼レフカメラで管面撮影する方法が使用された。ディスプレイの前にカメラを装着できるディスプレイフードも販売されていた。しかし、管面撮影では解像度が不充分であり、画像に球面歪みが生じ、満足がゆくほどのハードコピーは得られなかった。

このような状況に対して、カナダの旧イマプロ社から「ＱＣＲ（Quick Color Recorder)」という画期的なフィルムレコーダが開発され重宝した。これは、オシロスコープなどの計測器に使用されている精密なモノクロ・ブラウン管を用いて、ＣＧ画像をカラーフィルムに焼き付ける装置である。

ブラウン管の前には、赤緑青の三色のフィルターとカメラが装着されている。この状態で、計算されたカラー画像の赤緑青いずれかの単色の画像を1画素ずつ順にブラウン管上にスポット描画する。即ち、三色のフィルターを順番に切り換えることにより、赤緑青のいずれかに着色されたスポットでカラーフィルムを順次露光することができる。

使用されているブラウン管は10センチ角程度の正方形だったが、解像度が非常に高く、導入当時（昭和六十年頃）でも、８１９２×８１９２ドットの分解能があった。

もちろん、当時のコンピュータではこんな高分解能な画像を生成することは困難で、通常は２０４８×１５３６画素の画像を生成することが多かった（今日のアップル社のｉＰａｄの画面解像度と同じ）。それでも、ディスプレイやプリンターでは出力できない驚くほど綺麗なフルカラー画像を得ることができた。

●フィルムレコーダで使用できるカメラ

この「ＱＣＲ」というフィルムレコーダで使用できるカメラは、35ミリの一眼レフカメラ、４×５インチ（シノゴ）のカメラ、８×10インチ（エイトバイテン）のカメラの三種類であった。

４×５インチのカメラは、カタログ掲載用の商品撮影などの業務にも使用されるため、インスタント写真感材も用意されていて、最も使用頻度が高かった。インスタント写真で、後述するスライドやＯＨＰを作成する前のリハーサル用として撮影を行うのだ。そして画像確認後、４×５インチのカメラでは、リバーサルフィルムを装着して本番撮影を行うこともできた。現像はプロ向けの現像所に依頼する必要があり、コスト高になるが、インスタントより高画質なため、カタログ印刷用の写真原稿や、展示会向けのサンプル画像作成などに効果的であった。

４×５インチのカメラの代わりに、35ミリの一眼レフカメラを用いてリバーサルフィルムで撮影すれば、スライド原稿も作成できた。こちらも現像を依頼する必要があるが、35ミリフィルムのスライド現像は町の写真店でも対応できる。

また、８×10インチのカメラを用いると、ＯＨＰ原稿を作成できた。このカメラではＯＨＰシート型のインスタントフィルムを使用できたので、撮影後にその場で現像処理を行うことにより、フルカラーのＯＨＰ原稿を自前で簡単に作成できた。

その後、第2章で述べたプリンターや、第3章で述べたコンピュータ用ディスプレイのフルカラー化と高解像度化が進み、フィルムレコーダの役割はなくなっていく。

コンピュータの補助記憶装置の一つ、
磁気テープ装置の話

マルチトラックテープ

――オーディオ記録の元祖

最初に買ったカセットレコーダ

私が物心ついた頃には、自宅にオープンリール式のテープレコーダがあった。これには、スピーカーは内蔵されているが、マイクロフォンは外付けで付属していた。

中学校の英語の授業でも、教科書の例文がネイティブスピーカの発音で吹き込まれたオープンリールテープを用いて三年間授業が行われた。

私が中学校に上がる頃に初めてカセット式のテープレコーダが発売され、早速、祖父と一緒に秋葉原に行って買ってもらった。その頃、AMとFMのラジオが付いた2チャンネル・ステレオ式の「ラジカセ」も初めて発売されたが、当時の価格で三万円以上し、高価であった。そこで、マイクロフォンとスピーカーが内蔵された、シンプルなカセットレコーダを購入した。これをテレビの前に置き、ドラマや歌番組の音声などをよく録音していたものだ。

カセットのマルチトラック化

レコーダーがオープンリール式からカセット式に進化する過程では、小型化と操作性が大幅に向上されるだけなく、大きなイノベーションが起きている。

オープンリール式では、テープの走行方向に単一の音声しか録音できなかったのに対し、カセットテープでは、テープの幅方向を二分割し、上半分と下半分で二種類の音声を録音できるようにしている。即ち、一本のテープに二倍の音声が録音できるようになったのだ。

これを可能にした理由の一つは、テープレコーダでは基本的に巻き取りリールが必要だが、カセット式では巻き取りリールをカセット内に内蔵させたからである。

テープの末端まで録音・再生が終了したら、カセットを表裏逆にして、巻き取りリールから供給リール側に逆方向にテープを走行させれば、録音再生ヘッドの位置を動かさなくても、もう一方のトラックの音声が録音・再生できる。

その後、幅方向に上下のトラックの各々をさらに二分割させ、カセットの表裏の各々で左右の２チャンネルのステレオ音声の録音・再生を可能にした。即ち、オーディオカセットは４トラックになり、この形態は今日まで踏襲されている。

また、カセットを表裏逆にして挿入し直さなくても、巻き取りリールから逆方向に回転させて録音・再生する機能も実現された。表面の再生が終了したら自動的に裏面再生が行えるという、オートリバース機能が搭載されるようになったのだ。これにより、無人でエンドレス再生が可能になり、商業施設でのＢＧＭ再生機としても活用できるようになった。

●語学教育向け「LLカセットレコーダ」の開発

ステレオ音声録音の機能とともに、語学教育向けに「LL方式（Language Laboratory）」と呼ばれる特殊なカセットレコーダも開発された。このシステムの企画と開発を中心に推進したのは、英語教材の出版を行っていた「旺文社」という出版社であった。出版社のブランドで、電器店でなく書店でテープレコーダが販売されたので印象に残っている。

これはカセットの表裏の各々の左チャンネルだけに、ネイティブスピーカによる模範のスピーチがあらかじめ録音されている。そして左チャンネルの音声を再生しながら、マイクロフォンを通して同時に話される学習者のスピーチを右チャンネルに録音できるようにしている。即ち、2チャンネルの一方を再生しながら、もう一方のチャンネルに別の音声を追記録音（アフレコ：アフター・レコーディング）できるわけだ。この状態で、2チャンネルを同時にステレオ再生すれば、ネイティブと学習者の発音の聴き比べが行える。

前書でも触れたが、私が高校に上がる頃に、多くの学校でこの機械を用いて語学の集合教育を行うシステムが大量に導入された。しかし、ネイティブの発音と聴き比べるだけでは、学習者の発音をどのように矯正するべきかはわからない。結局、期待したほどの効果

郵 便 は が き

料金受取人払郵便

新宿局承認

3971

差出有効期間
2022年7月
31日まで
(切手不要)

1 6 0-8 7 9 1

141

東京都新宿区新宿1－10－1
(株)文芸社
愛読者カード係 行

ふりがな お名前		明治 大正 昭和 平成 年生 歳
ふりがな ご住所	□□□-□□□□	性別 男・女
お電話 番 号	(書籍ご注文の際に必要です)	ご職業
E-mail		
ご購読雑誌(複数可)		ご購読新聞 新聞

最近読んでおもしろかった本や今後、とりあげてほしいテーマをお教えください。

ご自分の研究成果や経験、お考え等を出版してみたいというお気持ちはありますか。

ある　　ない　　内容・テーマ(　　　　)

現在完成した作品をお持ちですか。

ある　　ない　　ジャンル・原稿量(　　　　)

書　名			
お買上 書　店	都道　　　　市区 府県　　　　郡	書店名	書店
		ご購入日	年　　月　　日

本書をどこでお知りになりましたか?
1.書店店頭　2.知人にすすめられて　3.インターネット(サイト名　　　　)
4.DMハガキ　5.広告、記事を見て(新聞、雑誌名　　　　)

上の質問に関連して、ご購入の決め手となったのは?
1.タイトル　2.著者　3.内容　4.カバーデザイン　5.帯
その他ご自由にお書きください。
(　　　　)

本書についてのご意見、ご感想をお聞かせください。
①内容について

②カバー、タイトル、帯について

弊社Webサイトからもご意見、ご感想をお寄せいただけます。

ご協力ありがとうございました。
※お寄せいただいたご意見、ご感想は新聞広告等で匿名にて使わせていただくことがあります。
※お客様の個人情報は、小社からの連絡のみに使用します。社外に提供することは一切ありません。

はなく、私が高校を卒業する頃には廃れてしまった。

オープンリール式のマルチトラック化

オーディオテープのカセット化により、犠牲になった機能がある。それは音楽制作や編集業務で行われる、テープの「切り貼り編集」である。これは、録音されたテープの不要な箇所をカットしたり、別の録音音声を挿入したりする作業だ。テープレコーダが二台あれば、もう一本のテープにダビング編集する方法もあるが、アナログ信号で再録音すると音質劣化が発生する。そこで、テープ自体をダイレクトに切り貼りするという荒業が行われていたのだ。カセットテープ向けにも、切り貼り編集する小道具が開発され、セット販売されてはいたが、手先がかなり器用でないと綺麗に編集できなかった。

また、テープを意図的に逆方向に貼り付けて、逆回し再生するという特殊効果も用いられた。例えば、ピアノで「ドレミ」と演奏して録音したテープを逆回し再生すると、まるでオルガンで「ミレド」と演奏しているように聞こえる。

このような音楽制作業務向けに、オープンリール式テープの方も、テープ幅を広げてマルチトラック録音が可能になるように開発が進んだ。

前述のＬＬ方式カセットレコーダと同様に、既に録音されたトラックを再生しながら、別のトラックに追記録音（アフレコ）ができる。再生するトラックは任意に複数指定できるため、音楽のパート別の録音が可能になった。即ち、バンドなどのアンサンブル演奏を録音する際、全員揃って演奏する必要がなくなったのだ。

リズムパートから一パートずつ納得がいくまで繰り返し演奏録音し（個々の試し録音は「テイク」と呼ばれる）、パートごとにベストの演奏を収録できるため、完成度の高い音楽制作が可能になった。テープ幅を大きくすれば、トラック数を増やすことができ、２インチ幅で24トラックの収録が業界標準になった。

その後、前世紀末からは磁気テープの代わりにハードディスクが使用され、デジタルで編集が行える「Ｐｒｏ Ｔｏｏｌｓ」という商品名のノンリニア編集機が登場し、音楽の再生テンポやピッチを変更するといった、従来のテープ編集（「リニア編集」と呼ばれる）では不可能だった高度な編集が可能になった。「ＤＡＷ（Digital Audio Workstation）」とも呼ばれるノンリニア編集が普及すると、マルチトラックテープを用いたアナログの音楽制作手法は廃れていった。

ただ、このように作り込まれた完成度の高い録音音楽は、人間味が薄れて面白みがないという批判もあり、かえってライブ演奏の人気を持ち上げることにもつながっている。

オーディオテープのコンピュータ応用

オーディオ向けの記録媒体は、コンピュータの補助記憶装置としても使用された。第3章で述べたように、オーディオカセットはフロッピーディスクやハードディスクが普及するまで、パソコンの補助記憶装置として長らく活躍していた。

私が社会人になった時に、デジタルで音楽が記録できるCDが登場し、その後デジタル録音ができる「DAT（Digital Audio Tape）」と呼ばれるカセット式のテープも登場した。双方ともコンピュータと相性が良く、コンピュータ向けの補助記憶装置としても真っ先に使用された。

オープンリール式テープの互換性

前述のオープンリール式のマルチトラックテープが開発された歴史は結構古い。オーディオ用途より先に大型コンピュータの補助記憶装置として、私が生まれた頃から長期にわたって使用されてきたようである。

ドライブ装置には掃除機のような吸気ポンプが付いていて、テープをセットすると、テープの先端を吸引しながら自動的に巻き取ってリールにセットする機構を備えており、信頼性に優れていた。私が社会人になってからも、平成初期の頃までの期間、使用していた経験がある。

これは1／2インチ幅で9トラックの記録が可能なオープンリールテープで、通称「MT（Magnet Tape）」と呼ばれた。幅方向に9ビット（1バイト分の8ビットのデータと、1ビットの誤り検出符号を記録可能）ずつデジタル記録するものである。

IBM社の仕様が業界標準で、国産を含めてほとんどのメーカーのコンピュータと互換性があった。そのため、ネットワークが使用できるようになるまでは、異種コンピュータ間でのデータの受け渡しには専らこのMTが使用されていた。また、ネットワークが使えるようになってからも、オンライン伝送するより、磁気テープに収めて宅配便で輸送した方が早かった時期もあった。

これに対して、主としてパソコンや、第9章で述べるワープロ専用機で使用されてきたフロッピーディスクは、全く互換性がなく、同一メーカーでも機種が異なると読めなかった。

8トラック・オーディオカセットの登場と、カーオーディオへの応用と失敗

私が中学三年生の頃に、父の自動車にカーステレオが取り付けられた。これには「8トラックテープ」と呼ばれる新規なオーディオカセットが使われた。通常のオーディオカセットに比べて大型で、第6章で述べるベータ方式のビデオカセットと同程度の大きさがあった。テープ幅が大きく（1／4インチ）、2チャンネルのステレオで4トラック（モノラルで8トラック）の音楽を、トラックごとに十分まで収録可能であった。

カセットの構造が斬新で、テープレコーダに必須な巻き取りリールがなく、単一の供給リールで巻き取りも兼ねていた。これにより、巻き戻しが不要でエンドレスにテープが走行できる構造になっていた。そのため、リールの逆回転は不可能で、早送り・巻き戻しボタンがない。

その後、このような構造のカセットの商品化例はなく、今思い起こしても、日本の職人技によるすごい発明だったと思う。

このカセットのプレーヤには、トラック選択ボタンが八個あり、ボタン操作だけで八種

の中からモノラル再生する音楽を瞬時に切り換えることができた。巻き戻し・早送りのボタンがないため、自動車内で使用するには、その方が都合が良いと考えたのだろう。

しかし、八曲の中から選曲する機能だけでは充分とは言えない。また、再生専用であるため、市販されている音楽ソフトを購入する必要があり、カセットに収録されている楽曲の組み合わせが自分の好みと合わなかったりすることも多く、不経済であった。

自前でカセットを作りたい人のために、8トラックテープの録音が行える据え置き型のカセットデッキも市販されてはいたが、業務用で高額だった。

オーディオカセットレコーダには、当初からテープカウンターが付いており、カウンター数値を見ながら手動で頭出しを行うことはできた。その後、通常のオーディオカセットで、曲間に頭出し用のマーキング信号を記録することが可能になった。「キュー」と呼ばれる早送り再生時に、自動的に頭出し選曲する機能、「APSS（Auto Program Search System）」が付加された。

その結果、自分の好みの楽曲を安価に収録できる通常のオーディオカセットに軍配が上がった。即ち、カーオーディオとして、8トラックテープに代わって、従来のコンパクトなオーディオカセットが見直されて使用されるようになったのである。

8トラック・オーディオカセットの新市場「カラオケ」

8トラック・オーディオカセットは、カーオーディオとしては失敗だったが、カラオケ用途では受けが良かった。

大阪万博が開催された頃に、バンドマンの井上大祐氏により「8ＪＵＫＥ」と称する8トラック・オーディオカセットを用いたカラオケマシンが発明された。ちなみに、カラオケ自体の発明者については、井上大祐氏より前に多数いて、現在も特定できていない。

私が社会人になると、会社の先輩や同僚に連れられ、カラオケがある居酒屋やスナックに時々足を運ぶ羽目になったのだが、当時のカラオケマシンは、現在のように映像で字幕を表示する機能がなく、オーディオ再生のみのシンプルなものだった。ただし、マイクを通した客の歌声にエコーを付加する機能は付いていた。歌詞カードを見ながら歌う必要があるため、かなり知っている曲でないと、まともに歌うことはできなかった（幸い当時は採点機能もなかったが）。

カラオケ用途でも、八曲の中から選曲する機能だけでは充分とは言えないが、カラオケは、用意された音楽ソフトから顧客が選んで使用する形態であるため、個々のカセットに収録されている楽曲の組み合わせが好みと合わなくても、カセットを大量にストックしておけば支障はない。そのため、レーザーディスクなど字幕映像の表示機能が付いた今日のカラオケの形態になるまで、比較的長期間、愛用された。

カラオケ専用のCDプレーヤ「CD-G」

8トラックテープを用いたオーディオのみのカラオケマシンから、字幕映像付きのレーザーディスクに移行する間に、「CD Video」など様々な収録規格のCDを用いて試行錯誤が行われた。

音楽CDは一九八二年に規格化されたが、その規格書「Red Book」には、「CD-G（CDグラフィックス）」と呼ばれるカラオケ向けの拡張機能の記載がある。CDは、デジタル化された音楽データを「セクタ」と呼ばれるブロック単位に記録するが、セクタの一部に静止画を挿入できる拡張領域が用意されている。そこに、イラストや字幕の文字画面を挿入することができる。

映像出力をサポートする特殊なCDプレーヤを使用すれば、音楽再生と同期して、第3章で述べたブラウン管テレビに静止画や字幕を再生できる。音楽データの仕様は通常の音楽CDと同一であるため、通常の音楽CDプレーヤでも、音楽データ部はそのまま再生できる。

一九九〇年に日本ビクターからCD‐G機能を持つCDラジカセが初めて販売された（結果的にこれで最後になったが）。この頃、字幕が表示できるCD‐G仕様の音楽ソフトとして、「ベートーヴェンの第九」のCDブックス（『DA・I・KU』三修社）も販売されていた。これは、第四楽章の合唱部分で字幕（ドイツ語と読み仮名）が表示されるが、ボーカルパートが消えているわけではないので、カラオケソフトではない。

ただし、CD‐Gの仕様に基づいてカラオケソフトを制作するのは、特殊な編集機材を必要とし、非常にコストと手間がかかった。その上、第3章で述べたとおり、字幕にフリッカー（ちらつき）が発生しやすく、目が疲れやすくなるので普及しなかった。

これに対して、その後、一九八一年頃にパイオニアが中心に開発して普及した「レーザーディスク」の場合は、テレビ映像制作と同様で、習熟した映像編集機材を用いてカラオケソフトを制作できた。

●MIDI規格を用いた「通信カラオケ」の普及

このCD‐Gの規格が制定された年に、「MIDI（ミディ：Musical Instrument

Digital Interface)」という電子楽器のデータ交換規格も制定され、ケータイの着メロやカラオケに採用された。国内でこのMIDI規格の提案と普及を進めたのは、楽器メーカーのローランド社の創業者、梯（かけはし） 郁太郎（いくたろう）氏である。

MIDIをカラオケ装置に応用する試みは、一九九二年頃にミシンメーカーのブラザー工業（のちに「エクシング」というカラオケ事業の関連会社を設立）の安友雄一氏が中心になって進めた。これまでのように楽器で演奏された伴奏録音をカラオケ音源とするのではなく、電子楽器を制御する音符データを作成し、カラオケ装置内の電子楽器で自動演奏させる方法である。たとえていえば、オルゴールを制御する凹凸のシリンダーをデジタルデータ化して電子的にオルゴールを制御するようなものだ。

MIDI規格に準拠した音符データは、これまでの演奏録音されたデータに比べ、情報量が桁違いに少ないため、ナローバンドの電話回線で伝送してもスムーズで、イライラすることがなかった。そして、MIDI形式の楽曲データと字幕の文字データを、カラオケ装置にリモートから伝送することができたため、それは「通信カラオケ」とも呼ばれ、新曲のリリースを即座に行えるようになった。

MIDI方式のカラオケ装置では、テンポやキーを自在に変更できる。即ち、女声ボーカル曲を低域に移調して、男性でも適したキーで歌うことが可能になった（逆も然り）。

従来の録音音源を用いたカラオケでもこの機能はあったが、テンポやキーを変えて演奏録音した音源を事前に準備する必要があるため、音源制作に手間がかかり、ユーザがテンポやキーを自在に変更できるわけではなかった。

また、カラオケのボーカルパートは無音ではなく、素人でも歌いやすいようにボーカルのガイドメロディが付いている。これも音符データとして保持されているので、ユーザが歌ったメロディと照合することにより、「採点機能」も実現できるようになった。これらの点から、現在までＭＩＤＩ方式のカラオケが支持されている。

ちなみに、ＭＩＤＩ形式の楽曲データは、新曲の演奏録音を聴きながら、若手の音楽家たちが「耳コピー」により採譜を行いつつ、手作業で作成している（「打ち込み」と呼ばれる）。

前書で触れた、私が行った「ピアノに喋らせる研究」の成果を、この耳コピー作業の自動化（自動採譜）に活用できないか、検討や実験を進めたことがある。結果的には、複数の楽器音が混ざり合っても、それを聞き分けながら（「音源分離」と呼ばれる）音符を特定できるミュージシャンの耳にはかなわなかった。

※「ピアノに喋らせる研究」の成果の詳細は、著者のＷｅｂサイトを参照（http://www.bekkoame.ne.jp/~modegi/）

第6章

学生時代末期
（昭和55年〜）

コンピュータの補助記憶装置の一つ、高密度記録・磁気カートリッジ装置の話

ベータ対VHS　日本が誇れる技術

――ユーチューバー向け動画制作機器の元祖：ビデオ録画とビデオカメラ

最初のビデオデッキとの出合い

私が高校一年生の時の授業で、地学の先生がＮＨＫの教育番組に出演された時の録画映像を見せていただいた。これが、私の最初のビデオテープレコーダとの出合いである。

映像はモノクロで、20インチくらいのブラウン管テレビに映され、ビデオデッキは図体が大きなオープンリール式であった。ビデオが再生されると、番組の冒頭でムソルグスキーの組曲「展覧会の絵」が流れ、番組内容とミスマッチな感じがしたことを未だに覚えている。

この頃は、家庭用のビデオデッキはまだ存在していなかったので、授業で使用したのは放送業務用で、かなり高価なものであったと思われる。映像はモノクロで鮮明とは言えなかったが、テレビ番組を繰り返し視聴できる斬新な道具として驚きであり、私も無性に欲しくなった。

互換性のない「ベータ」と「ＶＨＳ」の登場

私が大学を卒業する頃に、カセット式のホームビデオデッキの販売が開始され、私も秋葉原に何度か足を運び、実物を見学しに行った。ただ、当時の価格で二十万円前後したので、アルバイトで貯めた小遣いではとても手が届かず、購入は見送った。

オーディオカセットと違って、ビデオカセットは二種類の規格のまま統一されない状態で見切り発車となった。即ち、国内の家電メーカーが、互いにカセットの形状が異なる「ベータ」と「ＶＨＳ」という二種の派閥に分かれて製造・販売したのである。

ベータは、最長テープで九十分しか録画できないという欠点はあったが、ＶＨＳに比べてコンパクトで画質が良いという特徴から、最初は優勢だった。というのも、ソニーが同形状のカセット（ただし、テープの材質等は異なり、互換性はない）を用いて、業務用の「ベータカム」というプロ画質のビデオデッキも開発していたからである。即ち、プロ用とコンシューマ用で同一形状のカセットを用いているため、量産化によりカセット媒体やビデオデッキの値段を下げられるという優位性があった。

一方、ＶＨＳは、最長テープで百二十分まで録画が可能であった（その後、百八十分まで可能になった）。これは、二時間ドラマや映画番組は一本に収まるが、長時間の特集番組や、複数の番組を連続して録画をするには充分な長さとは言えなかった。

そこで、ベータもＶＨＳも「三倍モード」という機能が付けられていて、テープの走行速度を三分の一に落とし、その分画質は落ちるが、各々四時間半、六時間までの録画は可能になっていた。またこれにより、複数の番組予約による留守録を可能にしていた。

テレビ番組の「タイムシフト視聴」とその進化

私は幼少の頃からテレビが好きだった。テレビを長時間見ていても親は何も言わなかったので、還暦を過ぎた現在まで、同年代の人たちに比べて多くのテレビ番組を視聴してきたと思うし、最近はテレビの視聴時間がさらに延びている。そんなわけで、ホームビデオデッキには非常に関心が高かった。

私が初めてビデオデッキを購入したのは、社会人になった直後である。店頭で勧められたサンヨー製のベータ方式のもので、当時で十五万円くらいした。大枚をはたいて購入したこのビデオデッキによって、私のライフスタイルは激変し、十五万円を上回る価値があったと思った。

学生時代まではテレビ番組の放映スケジュールに合わせて帰宅時間を調整する必要があったが、ビデオデッキの導入により、自分の都合に合わせてテレビ番組を視聴する、いわゆる「タイムシフト視聴」が可能になった。ベータ方式でも、前述のように三倍モードで録画すれば四時間半までの留守録が可能であった。

番組録画の予約方法は、当初は「チャンネル」「録画開始時間」「録画終了時間」を入力するシンプルな方法だった。やがて、新聞のテレビ番組表に「Ｇコード」と呼ばれる各番組の数字コードが付与されるようになり、その番号をビデオデッキに入力するだけで予約ができるようになった。

ただ、ビデオテープに番組を記録しても、その録画済みテープを保存することはほとんどなく、何度も別の番組を上書き録画するという使い方だった。私を含め、このような使用形態が一般的だったので、地上デジタル放送に移行する直前に「ハードディスクレコーダ」が登場したものと考えられる。

第3章で述べたように、アナログ放送の時代でも、「電子番組表」の文字データをハードディスクレコーダにデジタル伝送することが可能になった。現在では、画面に表示される番組表をクリックするだけで録画予約が可能になっている。

海外ではエアーチェックにより自分で録画して視聴するよりも、市販のビデオソフトを入手して視聴するのが一般的である。というのも、後述する理由により、海外で流通している多くのビデオデッキが、テレビチューナーや録画機能を持たない安価な再生専用機であるためだ。

そのため、海外では真っ先にレンタルビデオ店が普及した。レンタル店向けの商用ビデオソフトの場合、テープの摩耗が激しいので、三倍モードで製品化するわけにはいかない。そのため、標準画質で二時間録画が可能なVHS方式に軍配が上がり、ホームビデオデッキではベータ方式は廃れてしまった。

●日本の職人技「ヘリカルスキャン記録」と「回転ヘッド」

ところで、カセット式のビデオデッキの実現には、海外メーカーでは追従できない超精密加工技術を必要とした。

ビデオ信号はオーディオ信号に比べ、桁違いに多くの情報量を持つ。オーディオ信号のように、テープの走行方向に記録する方法をとると、早送りより走行速度を上げなくてはならなくなり、現実的でない。

そこで、第5章で述べた「マルチトラック」の手法、即ち、ビデオ信号をフレームごとにテープの幅方向に記録する方法をとることになる。そうすると、テープ幅をかなり広げる必要が生じるが、前述の放送業務用のオープンリール式ビデオデッキの場合であれば、テープ幅を広げることは許容され、実際にそのような形態で製造されたこともあった。

これに対して家庭用のカセット式では、テープ幅をあまり広げることはできない。そこで、ベータもＶＨＳもテープ幅を、第5章で述べた8トラックテープと同じ1／2インチに抑え、「ヘリカルスキャン」と呼ばれる記録手法が考案された。これは、テープの走行方向に対して斜めにビデオ信号を記録する方法で、テープ幅方向に記録する方法より、狭いテープ幅でも記録する距離を稼ぐことができる。

そして、この斜め記録を実現するために、記録ヘッドが円筒上に斜め方向に加工された回転ヘッドを用いる方法が提案された。走行中のテープに、ヘッドを一回転させて記録すると、理論上、1フレーム分のビデオ信号が斜めに記録可能になる。しかし、このキーとなる「回転ヘッド」の製造には、当時では（おそらく現在でも）宇宙開発向けの部品と同レベルの超精密加工が要求されると言われた。そのため、実現性が疑問視されたが、結果的に日本の職人技がこれを可能にしたのである。

特に、前述のとおりソニーはベータ型のカセットを用いて業務レベルの画質で記録できる「ベータカム」を開発している。この業務用の回転ヘッドは、家庭向けのベータ式ビデオデッキに比べ、半分以下のピッチでテープにビデオ信号を記録することが要求される。即ち、加工精度の難易度が倍以上に高いものなのだ。

ホームビデオデッキの海外への普及

ホームビデオデッキは一時期、米国の映画業界等から著作権問題で反発を受けたこともあったが（海賊版ビデオが流通し、心配されていた著作権侵害の問題が発生した）、結果的に、ベータ式もＶＨＳ式も全世界に普及した。

ビデオデッキを海外に出荷するにあたり、海外ではアナログテレビ放送の方式が、日本のようにＮＴＳＣだけではなく、他にＳＥＣＡＭ、ＰＡＬがあり、三方式ある点が障壁になった。これに伴い、ビデオの記録方式も各国の放送方式に合わせることになり、統一されなかった。

一方、ビデオの中枢部品である回転ヘッドは、海外のどこのメーカーも追従して製造することができなかった。そのため、日本が海外の三方式に対応するヘッドを供給し、全世界の市場を独占することになった。また、日本製のビデオデッキからチューナーや録画機能を外した再生専用機の形態であれば、海外に輸出するハードルも低くなった。

家庭用・業務用ビデオの高画質化

その後、ホームビデオデッキにおいて、ベータでは「ベータHi‐Fi」、VHSでは「Super VHS」と呼ばれる高画質・高音質記録ができるハイエンド仕様が提案された。そうすると、業務用の「ベータカム」と同等レベルに、回転ヘッドの加工精度が要求されるようになった。

一方、業務用のVTRも、当時、日本独自のMUSE方式で放送が始まったアナログ・ハイビジョン映像をデジタル録画できる、オープンリール式のハイビジョンVTRの開発が進んだ。さらに、「UNIHI」と呼ばれる、「ベータカム」より大きなカセットを用いて、カセット式でもハイビジョン映像の録画が可能なロケ用の機種も登場した。ただし、映像信号が圧縮されているため、オープンリール式に比べて画質は落ちた。

この段階になると、海外メーカーの参入余地は完全になくなった。もっとも、海外メーカー側は日本のアナログ放送方式のハイビジョンには関心を示さず、デジタル放送でハイビジョンを実現する構想を抱いていたため、参入に尻込みしていたというのが実情だ。

とはいっても、アナログのホームビデオデッキや業務用VTRが廃れるまで、日本の家電メーカーは全世界のビデオ市場を独占でき、国内はバブル景気に沸いたのである。

CGを用いた動画像の制作と「コマ撮り」

第4章で、コンピュータでの計算により作成するCGの静止画像をフィルムに出力する装置について述べた。計算時間はかかるが、三次元CGでは動画像（CGアニメーション）も作成することができる。

例えば、私の会社員時代、アナログテレビ向けに十五秒間のCM映像をCGで制作する依頼を受けたことがある。毎秒30フレーム（60フィールド）の動画を制作する場合、1フレームあたり640×480画素のフルカラー静止画像データ（約1Mバイト）を四百五十枚（450Mバイト）生成しなくてはならない。

昭和六十年前後の時代では、大型コンピュータを用いて一週間ほどかければ、全四百五十枚分を計算できた。問題は、これをどのように動画表示させるかである。

現在では、四百五十枚分の画像データを「MPEG-4」などの動画形式ファイルに圧縮すれば、パソコン上でクリックするだけで動画再生が可能だ。しかし、当時のコンピュータ環境では、大型機を含めてリアルタイムに動画再生できる映像圧縮技術やディスプレイ装置がなかった。

これに対し、映画の世界では「コマ撮り」と呼ばれる手法が既に使われていた。例えば、

35ミリシネフィルムを用いたアニメーション映画を制作する場合、四百五十枚分（映画は毎秒24コマのため、実際は三百六十枚でいい）を1コマずつフィルムで撮影すればいい。ただし、フィルム現像が必要なので、動きを修正するなど画像データを再作成する場合、フィルムが無駄になるという問題がある。

放送向けの映像制作の場合においても、業務用ビデオデッキに四百五十枚分を1フレームずつ記録するコマ撮り手法が可能だった。と言ってもビデオデッキでは、ちょうど1フレーム分だけテープを走行させるという芸当はできない。録画開始後に、いくら停止ボタンを素早く押しても、数十フレーム分は走行して録画されてしまう。

そこで、第一フレームを二秒間（60フレーム）だけ録画したら、テープを巻き戻して、録画開始位置を先頭から1フレーム分（1／30秒）だけずらし（「プリロール」と呼ばれる）、その位置から第二フレームを上書き記録するようにする。

この、巻き戻しと上書き記録の操作を全フレーム分だけ繰り返すことにより、前のフレームとは被りながら1フレーム分ずつずれて記録される。結果的に、1フレームずつテープに記録された状態になり、ビデオデッキで動画再生が可能になるのだ。

問題は、巻き戻して録画開始位置を1フレーム分だけずらす「プリロール」のポジショニング機能の実現である。当時のソニー製の「ベータカム」には、この期待に応えられるだけの精度があり、テープの録画開始位置を制御できた。日本で製造される回転ヘッドによるヘリカルスキャンの精度は、それだけ高かったのだと言える。

●日本の職人技を決定的にした「8ミリビデオ」

その後、家庭用のビデオカメラが登場すると、従来の8ミリフィルムを用いたシネカメラに代わって、ビデオカメラが使用されるようになった。それに伴って、ショルダータイプの携帯型ビデオデッキが開発されたが、VHSテープでは重くてかさばるという問題があった。

そんな中、ソニーから第三のビデオカセット形状として、超小型の「8ミリビデオカセット」が提案された。これは、ベータやVHSのテープ幅が約12・5ミリなのに対して、8ミリに縮めたものである。

これを用いて、ビデオデッキ本体がカメラに組み込まれて、手のひらに載るビデオカメラが開発された。このカメラは全世界を驚愕させ、米国映画『バック・トゥ・ザ・フューチャー』(一九八五年。スティーヴン・スピルバーグ制作・総指揮)にも、二十世紀の未来のテレビカメラとして登場している。

その後、ＶＨＳカセットもテープ長と記録時間を短くして小型化し、従来の据置き型ＶＨＳデッキでも再生可能にしたコンパクト仕様の「ＶＨＳ‐Ｃ」が提案された。これにより、ＶＨＳ‐Ｃ専用のデッキ本体もビデオカメラに内蔵可能になり、製品化された。

ヘリカルスキャンによるデジタル記録

８ミリビデオテープは、その後、デジタル記録をサポートして「エグザバイト」と呼ばれ、コンピュータの補助記憶メディアとしても使用されるようになった。また、テープ幅を１／４インチ（６・３５ミリ）まで狭くして、デジタルで映像記録ができる「ｍｉｎｉＤＶ」の開発も進んだ。

このように、ビデオ録画のデジタル化が加速されると、映像記録に、コンピュータ用の補助記憶メディアである、ＤＶＤ、ＨＤＤ、半導体メモリも使用されるようになった。これらはテープ媒体と異なり、ランダムアクセスが可能なため、前述のコマ撮り、即ち、フレーム単位の記録再生が簡単に実現できるようになった。したがってコマ撮りに、前述の「ベータカム」を用いた「プリロール」という高精度な技術は不要になったのだ。

また、デジタル処理と映像圧縮技術によって、アナログテープ記録より高画質になり、ダビングによる画質劣化がなくなった。これによって、高品質な海賊版ビデオの制作も容易になるといった著作権侵害の問題がさらに深刻化したが。

このような映像記録のデジタル化により、テープ媒体における「ヘリカルスキャン記録」や「回転ヘッド」という日本が誇れる職人技が不要になり、技術的な障壁が低くなった。映像記録装置や媒体がコモディティ化され、海外メーカーとの競争になり、日本がものづくりの職人技で世界市場を独占することが難しくなったのである。

第7章

社会人時代初期
（昭和57年～）

コンピュータのCPU命令数値を
直接用いたプログラミングの話

マシン語プログラミング

――プログラミング手法の元祖：マシン語

●「アセンブリ言語」の開発

私が最初にコンピュータプログラミングを経験したのは、大学の電子工学科の専門課程の授業だった。日立の大型コンピュータ上で、「FORTRAN」と呼ばれる高級言語（「高水準言語」「コンパイラ言語」とも呼ばれる）を用いて、データの統計量を算出するような簡単なプログラムを書かされた。

コンピュータを動かすためには、CPUの数値命令（16進）で記述された数値データ配列のプログラムを、最終的には準備する必要がある。

このように、CPUが認識可能な数値データ形態のプログラミング言語は、「マシン語（機械語）」と呼ばれる。

マシン語の数値命令は、コンピュータに使用されているCPUごとに異なり、これをいちいち覚えてプログラムを記述するのは非効率である。また、せっかく覚えても、使用するマシンがアップデートされたり、機種が変わったりすると、改めて命令語を勉強し直さなくてはならない。そこで、数値命令をヒトが覚えやすい英文字の記号（「疑似命令」と呼ばれる）で表現した「アセンブリ言語」が考案された。

例えば、一世代前のWindowsパソコンで広く使用されてきた、インテル「x86

系ＣＰＵ」を例にとると次のようになる。

ＣＰＵ内の32ビット・レジスタＡの下位16ビットに、数値１００（16進で64）を書き込む場合、マシン語では16進２バイトの配列で「B0,64」となるが、アセンブリ言語では「MOV AL,100」と記述する。

「MOV（ムーブ）」は最も使用頻度が高いアセンブリ言語命令で、「レジスタに転送（コピー）する」という疑似命令である。機種によっては「LOAD」または「LD」と表現される場合があるが、いずれにしても、マシン語の「B0」に比べて機能を類推しやすく、覚えやすい。

アセンブリ言語で記述されたプログラムは、「アセンブラ」と呼ばれる翻訳ソフトを用いて、マシン語に自動翻訳できる。ただ、このアセンブリ言語を用いても、大規模なプログラムを記述するのは効率が悪い。

●「コンパイラ言語」の開発と〝方言〟

そこで、英語の命令文を基本に数式を加えて、よりヒトに理解しやすい高級言語が考案された。前述の「ＦＯＲＴＲＡＮ」はＩＢＭ社により最初に開発された科学技術計算用の高級言語だ（一九五四年。ＩＢＭ社のジョン・バッカスによる）。ちなみに、前述の「アセンブリ言語」における「MOV AL,100」を「ＦＯＲＴＲＡＮ言語」で記述すると、「AL=100」となる。

「ＦＯＲＴＲＡＮ」のような高級言語で記述されたプログラムは、「コンパイラ」と呼ばれる翻訳ソフトで、「アセンブリ言語」に相当する中間言語に自動翻訳される。そして、前述の「アセンブラ」でマシン語に翻訳されて実行可能になる。

この「コンパイラ言語」を用いる方法は処理効率が優れているため、現在でもゲームなど高速性を要求される分野では結構使用されている（ただし、現在は「ＦＯＲＴＲＡＮ言語」ではなく「C言語」系が主流）。しかし、プログラムを開発する立場では、「アセンブリ言語」よりマシではあるが、非効率な面がある。

また、あるマシンにて「ＦＯＲＴＲＡＮ言語」で作成されたプログラムを、同じ「ＦＯＲＴＲＡＮ言語」をサポートする別の機種のコンピュータに持ち込んでも、そのままの状態では動かないことが普通であった。

その理由は、ＣＰＵごとにマシン語命令の仕様が異なることにより、高級言語の方もその相違に基づき〝方言〟が発生するためである。別の機種のマシンで動かせるようにするには、高級言語で書かれたプログラムを部分的に書き換える（「移植」と呼ばれる）必要が生じることが多かった。いわば「郷に入っては郷に従え」で、コンピュータも、プログラムを〝現地の方言〟に合わせないと、まともに理解してもらえないのだ。

現代は「インタープリタ言語」が主流

そこで、「コンパイラ」でプログラム全文を一気に翻訳する方法をとらず、プログラムのステップごとに逐次通訳する方法が提案された（速度的には同時通訳に近い）。そうすると、プログラム上の〝方言〟や誤りなどの問題点を発見しやすく、開発効率が高くなる。

このようなプログラミング言語は「インタープリタ言語（または「スクリプト言語」）」と呼ばれる。代表的なものには、後述する初期のパソコン向けのプログラミング言語であった「ＢＡＳＩＣ」や、最近、人工知能分野の開発で注目されている「Ｐｙｔｈｏｎ（パイソン）」がある。作成されたプログラムはそのままでは実行できず、専用の「インタープリタ」が一行ずつマシン語に通訳しながら実行される。

一連のプログラム全文が翻訳される「コンパイラ言語」で実行する場合に比べ、逐次通訳しながらプログラムを実行する方法は、処理効率の面では明らかに劣る。しかし幸いなことに、ＣＰＵの処理速度が時代とともにスピードアップしてきているため、パソコンを

「BASIC言語」で動かしていた時代に比べると、処理効率のデメリットは気にならなくなってきた。

●最初の「アセンブリ言語」との出合い

前述のとおり、私の大学時代はいきなり高級言語を用いたプログラミング実習から始まったので、「マシン語」や「アセンブリ言語」の教育は受けていなかった。私がこれらの低水準言語と出合ったのは、社会人になってからである。

現在では「インタープリタ言語」を用いたプログラミング教育がメジャーになりつつある。そのため、「コンパイラ言語」を用いた教育も年々手薄になり、ましてや「マシン語」や「アセンブリ言語」の教育には手が届かないであろう。もっとも、教育を受けても活用する場面も少ないかもしれないが。

私が社会人になって業務で最初に使用したコンピュータは、インテル社の8085CPU（8ビット）が搭載された、プリント基板形態のシングル・ボード・コンピュータ（SBC）だった。性能は桁違いでこれとは比較にならないが、今日でいう「Raspberry Pi（ラズベリーパイ。ラズパイ）」のようなものである。性能が貧弱なこのプリント基板を用いて、画像処理の組み込みソフトの開発を依頼された。

開発を進めるにあたり、最初は先のプリント基板をいきなり使用せず、インテル社のマイコン開発ツール（ＭＤＳ：Microcomputer Development System）を用いて開発を行った。これは、やや大型のデスクトップパソコンのようなシステムで、「アセンブリ言語」によってインテル社の８０８５ＣＰＵ向けアプリケーションの開発が行えた。この段階では開発ツール内のＣＰＵを用いて動作確認を行っているので、「シミュレーション」と呼ばれる。

プログラムが完成したら、開発ツールに前述のプリント基板を接続する。そうすると、使用するＣＰＵがボードコンピュータ内のＣＰＵに切り換わる。これにより、開発ツールで作成されたプログラムがプリント基板側に転送され、基板内のＣＰＵでプログラムが実行される。このようにして、実機のプリント基板上で適切に動作するかを確認できる（「エミュレーション」と呼ばれる）。

これで問題がなければ、完成した「マシン語」のプログラムを、開発ツール上で「ＥＰＲＯＭ（書き換え可能で、電源を供給しなくてもデータが消えない半導体メモリ）」に書き込む。この「ＥＰＲＯＭ」を先のプリント基板に装着すると、開発ツールから切り離して、ボードコンピュータ単体で独立してプログラムの実行が可能になる。

このようにして開発されたプリント基板が、情報家電製品に限らず、電気炊飯器などほとんどの白物家電製品にも組み込まれている（日本で最初にコンピュータが内蔵された家電製品は、松下電器産業が一九七九年に発売した「マイコンジャー」）。そこで、ボードコンピュータ向けのソフトは「組み込みソフトウェア」と呼ばれることがある。

●「マシン語」でロボットのプログラミングをする

私が大学を卒業して就職した一九八二年に、晴海の旧東京国際見本市会場で開催される「画像表現技術ショー」という印刷業界向けの展示会出展の計画があった。会社として初の出展だったため、客寄せ策として、今でいうソフトバンク社の「ペッパー」のようなロボットを置いてブース案内をさせようという企画が持ち上がった。

使用したロボットは、米国ヒース株式会社が開発した教育用ロボット「ＨＥＲＯ　１」であった。当時の大型掃除機の本体のような円筒形状で、底にキャスターが付いていて、プログラム制御により自在に移動させることができた。正面には眼の役割を果たす超音波センサーが付いていて障害物を検知でき、目の前にヒトが立っていたら立ち止まるように制御が行えた。ただし、カメラは付いていないので、ヒトの顔認証はできない。その他、二関節のハンドが一本と、音声合成機能が付いていた（ただし「ペッパー」のような音声認識はできない）。

ロボットを制御するコンピュータは、モトローラ社の6809CPU（16ビット）が搭載された最新鋭のボードコンピュータだった。ちなみに、当時のパソコンのCPUは、NECをはじめ、ザイログ社のZ80（8ビット）がメジャーで、このZ80より高性能な6809CPUを搭載した国産パソコンとしては、富士通の「FM7」があった。

ボードコンピュータには、テンキーとLEDディスプレイが付いており、16進によるテンキー入力（0～9とA～Fの十六個のキーで構成される）によって、「マシン語」でプログラムを入力できるようになっていた（16進で11～15は、A～Fとアルファベットで表現する）。

「アセンブラ」は用意されていないので、プログラムは全て手作業で「マシン語」により作成する必要があった。6809CPUのコード表を参照しながら、16進の数値配列を紙に書いた上で、打ち込みを行う（「ハンドアセンブル」と呼ばれる）。

ボードコンピュータには、前述の開発ツールのようにはフロッピーディスク装置が付いておらず、接続することもできなかった。しかし、当時のパソコンと同様に、オーディオカセットレコーダを接続できる端子は付いていた。そこで、電源を切る前に、入力した「マシン語」のプログラムをカセットテープに保存する方法をとった。

展示会でロボットの実演

このロボットを使って、展示ブース内で客先まで移動し、名刺をもらってくるという実演を行った。ただし、ロボットがスタートする位置と客が立つ位置は、概ね決めておかねばならない。

客の前に近づき、「名刺をください」と喋って、ハンドを上げてグリップを開き、客に名刺を挟んでもらう。そして「ありがとうございます」と喋って、名刺を持ちながら元の位置に戻って、握っている名刺を名刺ケースに落とす、という他愛のない実演であった。

ロボットに喋らせるためには、CPU向けの制御プログラムだけでなく、音声合成器向けの発声プログラムの開発も行う必要があった。音声合成用の命令語は「マシン語」と同様な16進の数値形態だったが、「マシン語」のコードとは体系が全く異なるため、かなり手間がかかった。また、米国製のため基本的に発音が英語なので、日本語を喋らせると米国人が話すような不自然な発音の日本語になってしまった。

プログラム開発中は、ACアダプターで商用電源とつなぎながら作業するため問題はなかったが、ロボットを移動させる時はバッテリーだけで自律して動かす必要がある。しかし、当時のニッケルカドミウム電池では、フル充電しても五分程度しかもたなかった。

また、完全にバッテリー切れを起こした場合は、メモリ上のプログラムが消えてしまう。その場合は、カセットテープレコーダを接続して、実演プログラムを再度ロボット側に読み込ませなければならない。そこで、実演は一時間に二回程度に抑え、ロボットを充電させるために休憩時間をたっぷり確保する必要があった。

パソコンで「マシン語」を用いたプログラミング

前述のように、当時のパソコンで一般に使用されていたプログラミング言語は「ＢＡＳＩＣ」で、これは「インタープリタ言語」である。開発はしやすいが、とにかく処理速度が遅かった。

第５章で述べたオープンリール式磁気テープで支給されたデータを、旧ＤＥＣ社のスーパーミニコンで読み、ＮＥＣのパソコンに転送するソフトを開発したことがあった。二つのコンピュータ間でデータ転送を行う場合、双方のコンピュータ上で個別にデータ送受信のプログラムを開発する必要がある。

ミニコン側のプログラムは「FORTRAN言語」で開発するので、処理速度はそこそこ速いが、パソコン側は「BASIC言語」で開発するので、明け方まで待っても帰宅できないくらい遅かった（当時は、遅いコンピュータの処理に付き合って徹夜を強いられることが少なくなかったのだ）。遅い原因としては処理速度だけでなく、ミニコンとパソコンをつなぐシリアルケーブルの通信速度が、9600bpsが限界だったこともある。

ところが、当時のパソコンではゲームのアプリケーションがメジャーであり、ゲーム分野では応答速度が重要である。そのため、「BASIC言語」のプログラムの中に、「マシン語」で開発された数値配列データを配置させる機能があった。見かけ上は「BASIC言語」のプログラムではあるが、配置した「マシン語」の数値命令を実行させることができたのだ。この高度な技は当時、広く使われており、たとえは悪いが、技術的には、見かけは普通のプログラムにコンピュータウイルスを仕掛ける方法と類似している。

そこで、前述のロボットと同様に、パソコンのZ80CPU向けに、全て手作業で「マシン語」によるデータ転送のプログラムを開発した。そして、これを「BASIC言語」で開発したプログラムに組み込んだ。その結果、処理速度が桁違いに速くなり、パソコンのCPU性能に驚くとともに、帰宅時間も早まり、助かったのである。

第8章

社会人時代前期
（昭和58年〜）

コンピュータ出力装置としてのベクター型のプリンターとディスプレイの話

筆記ロボット

——コンピュータ出力プリンターの新機軸：XYプロッター

初期の頃のコンピュータ用プリンター

コンピュータで紙に文字を出力する方法としては、第3章で述べた「ラインプリンター」が最初である。これは一行ずつ印字するもので、コンピュータの開発が始まる前から存在していた「タイプライター」が原点だ。商用の大型コンピュータメーカーとして、かつて全世界を制覇したＩＢＭ社も、前身はタイプライターのメーカーであった。

「ラインプリンター」は、基本的にあらかじめ英文字の活字を一通り用意しておき、キーを押すごとに一文字ずつ活字を選択しながら印字するものである。

その後、活字の代わりに文字のフォントパターンをあらかじめ用意しておき、8×12ドットなどのドットパターンで活字の凹凸形状を表現して印字する、「ドットインパクト型プリンター」が開発された。これにより、五十個を超える活字の実装が不要になったため、プリンター本体もかなりコンパクトになった。

また、印字可能な文字の種類を拡張することが容易になり、日本語のカナ文字や漢字なども印字可能になった。さらに、ドットパターンをプログラムで生成して印字を制御すると、文字だけでなくドット絵を出力することも可能になった。

新しい発想の「ＸＹプロッター」

私が社会人になった頃、これまでとは全く違う発想で開発された面白いプリンターがあった。これは、ヒトが紙の上でペンを動かして文字や絵を描く動作をロボットにやらせるもので、コンピュータでペンの筆記動作を二次元的に制御して描画させるようにした装置である。

「ＸＹプロッター」と呼ばれ、紙の上でペンをＸＹ方向の二次元的に移動させることができるとともに、ペンを上下させることができる。これら一連のペンの動作は、コンピュータからのプログラム命令（第７章で述べたコンピュータ内のＣＰＵマシン語の命令とは異なる）で制御できる。

ペンを持たせて直線を描きたい場合は、まずペンを上げた状態で直線の始点位置に移動させる（「Ｍｏｖｅ」と呼ばれる）。続いて、ペンを紙面まで下げ、ペンが下がった状態で直線の終点位置に移動させる（「Ｄｒａｗ」と呼ばれる）。

描画する時に、色や太さが異なる複数のペンを使用することもできる。三色ボールペンのように、ヘッドに数本のペンを持たせ、ペンを上下させる際にペンを選ぶことができるようになっているのだ。また、ホーム位置にペンホルダーを取り付けて、複数のペンをあらかじめセットしておくことにより、もっと多くのペンを使用することもできる。描画中にペンを替えたい場合は、ペンを上げた状態でホーム位置に移動させ、ホーム位置のペンホルダーに現在使用しているペンを戻し、別のペンをつかむように指示する。この状態で再度、前述の「Ｍｏｖｅ」や「Ｄｒａｗ」の操作を行えば、新たなペンで描画できる。

ペンを動かして描画するこの方法ならば、「ドットインパクト型プリンター」では困難な線画やグラフを容易に描くことができる。特に、プリンターやディスプレイで斜め線や曲線を描くと発生しやすいギザつき（ジャギー）のない、綺麗な線図形を精密に描くことができる。そのため、医療用の心電計や観測用の地震計など、描画精度が要求される計測用の波形記録にも使われてきた。ただし、波形記録の場合、X軸方向は時間で用紙を一定の速度で送る方法をとるので、Y軸方向のみペンを動かす一次元プロッターである。

文字を書く場合は、ヒトが紙に文字を書くような筆跡のパターン（ストローク・ベクター型の文字フォント）を準備すればいい。「ドットインパクト型プリンター」のように文字の形状を8×8ドットのようなドットパターンで表現するわけではないので、より筆記体に近い文字を書くことができる。

また、あらかじめ準備された、文字のストロークのフォントパターンに対して、描画時に拡大縮小もできる。そのため、ドットパターンのようなギザつきを発生させずに文字サイズを自由に変えることができるのだ。

ロボットに近いマウス型プロッター

マウスがコンピュータに使用され始めた昭和六十年頃に、米国でマウス型のプロッターというものも開発されている。周知のとおり、マウスは通常、ヒトが手で動かしてコンピュータに位置情報を入力するポインティングデバイスとして使用される。マウス型のプロッターはこれに加えて、コンピュータからの指令によりマウスを遠隔操作して移動できるような構造にもなっていた。

ただし、この機能は今日主に使用されている、光で変位を検出する「オプティカルマウス（光学式マウス）」では実現できない。その前の世代で使われていた「メカニカルマウス（ボールマウス。現在も中古市場で手に入り、使用できる）」でないとダメで、マウスにボール状のキャスターが付いているから実現できたものである。

この「メカニカルマウス」は、ボールの回転により変位を検出する構造になっているので、ボールをモーターで回転させれば、逆にマウス本体を動かすこともできるわけだ。ボールを回転させれば、マウスパッドの上で動かす必要はないので、「トラックボール」というポインティングデバイスも開発されている。

この特殊なマウス型プロッターには、ボタン位置の近くにペンを挿入できるポケットが付いていた。マウスにペンを持たせて、コンピュータ制御でマウスを紙の上で上下左右に移動させる。これにより、マウスに付けられたペンで絵を描かせる出力装置としても利用できるようになっていたのだ。

実際に使用してみると面白かったが、通常の「XYプロッター」に比べて描画速度が遅く、紙の上でマウスが滑りやすくて、描画精度も悪いので、普及しなかった。

●「XYプロッター」の衰退と強み

一九八五年に開催された「つくば科学万博」の「松下館」で、「似顔絵ロボット」の展示が行われ人気を博した。

カメラで来場者の顔を撮影し、画像処理を施して、顔の輪郭や特徴線を抽出する。得られた線画データを、ペンを握っているハンドロボットに渡し、「XYプロッター」と同様にキャンバスの上でハンドを移動させる。「XYプロッター」より描画の速さがのんびりしていたが、絵を描く過程がよくわかって面白かった。

その後「プリクラ」が登場して、「似顔絵ロボット」のような実演はすっかり影をひそめてしまった。「プリクラ」を筆頭に、プリンターのドットの分解能が細かくなり、ページ単位で出力できるラスター型のインクジェットやレーザープリンターが登場すると、画質とともに出力速度も向上した。そうすると、出力時間がかかる「XYプロッター」は使われなくなってしまったのである。

しかし、「XYプロッター」にはラスター型のプリンターではできない芸当がある。それは、ペンとしてサインペンや鉛筆だけでなく、ペン型のミクロンカッターを使用できるということだ。即ち、コンピュータ制御で任意の図形の輪郭に合わせて、紙やフィルムをカッティングすることが可能なのだ。

プリント基板の印刷原版などに使用される「ピールコート」と呼ばれる二重のフィルムがある。これは上層の赤色に着色されたフィルムをカッターで切れば剥がせるようになっているので、カッターで絵を描画すれば、好みのパターンをフィルムに形成することができる。プリント基板のスクリーン印刷では、「ピールコート」にカッティングを行ってマスクを作成し、写真製版（エッチング）により、金属を印刷・塗布するための孔版を作成している。

この「ピールコート」のカッティングや、厚紙の切り抜き加工を精密に行うため、現在でも「XYプロッター」が使用されている。ただし、カッティングを行う場合、ペンの動かし方が重要になる。

「XYプロッター」のペンで文字を書く場合は、基本的には書き順はどうでもいいのだが、書き順が適切だと速やかに描画できる。といっても、書道で教える書き順ではなく、一筆書きを基本にした書き順である。

一方、「XYプロッター」でカッティングを行う場合は、書き順が適切でないとカットできなくなることがある。文字の場合と同様に一筆書きを基本とするが、それ以外に留意する点がある。例えば、紙をドーナツ状に切り抜く場合、外側の円を先にカットしてしまうと、内側の円をカットする時に紙が動いてしまう。そのため、内側の円を先にカットするように指示データの順序を入れ替える必要があるのだ。

ブラウン管型の「XYプロッター」

現在、主流となっている液晶ディスプレイでは実現不可能だが、ブラウン管タイプのディスプレイでは、「XYプロッター」のような表示制御が可能である。第3章で述べたように、ブラウン管は電子銃から放射される電子ビームを、電磁石を用いて上下左右に二次元的に走査することにより映像を形成している。

ブラウン管テレビの場合は、五二五本の走査線を水平方向（実際には、やや右下斜め方向）に繰り返し動かす方法をとっているが、水平に限らず、斜めなど任意の方向に動かすことも可能である。

私が社会人になった頃、既にベクタースキャン型ディスプレイというのが旧テクトロニクス社などから販売されていた。これは「ＸＹプロッター」でペンを動かすように、電子ビームをＸＹ方向に高速に走査させて線図形を管面に描画するものだ。

例えば直線を描画する場合は、電子ビームの輝度をオフ（ペンアップに対応）にした状態で、直線の始点位置に移動させ（Ｍｏｖｅ）、続いて電子ビームの輝度をオン（ペンダウンに対応）にした状態で、直線の終点位置に移動させる（Ｄｒａｗ）。

ただし、ペンで描画するのとは異なり、電子ビームで描画する場合は、描画した瞬間に消えてしまい、画面に軌跡が残らない（特殊な蛍光体で残像させる方法もあるが）。線図形を表示させた状態を維持するためには、何度も同一の線図形を描画する操作を繰り返す必要がある。

同じ仕様のブラウン管を用いても、ブラウン管テレビで図形を描画する際に生じるギザつきが全く生じず、当時でも綺麗な線画を表示できていた。

この方法を用いて、ブラウン管に精密な波形を表示させた計測器が「オシロスコープ」で、私が大学生の時に専門課程の実験授業で時々使用する機会があった。第4章で述べたフィルムレコーダでも、ベクタースキャンモードをサポートしていて、「XYプロッター」のように線図形を精密に描画してフィルムに記録することができた。

その後、ハイビジョン対応に伴って、ブラウン管の走査線・解像度が増えた。プリンターも、インクジェット、熱転写、レーザー方式により、ラスター出力（ドットの集まりで出力すること）の解像度が向上した。

そうすると、「ギザつきが生じない」というベクター型の優位性が薄れた。また、ベクター型には写真画像を効率良く出力できないという致命的な問題もある（表示時間がかかることを厭わなければ、写真画像を画素単位の微細な直線に分解して出力することはできる）。そのため、ディスプレイもプリンターも、出力が速いラスター型に移行したのである。

第9章

社会人時代前期
（昭和59年〜）

コンピュータの入力装置としてのキーボードによる、日本語入力FEP（Front-End Processor）の話

パーソナルワープロ

——パソコンとOfficeアプリの前身：ワープロ専用機

●世界初の日本語ワードプロセッサの登場

私が大学に入学した頃（一九七八年）、東芝から世界初の日本語ワードプロセッサ「JW-10」が発売された。今日のデスクトップパソコンよりも本体が大きく（以前に「デスクサイド型ワークステーション」と呼ばれた形態）、価格は六百三十万円もした。

これまでは、印刷会社に依頼せずに自前で日本語の文書を作成するには、和文タイプライターを用いるしかなく、私の大学時代の試験問題の作成にも時々使用されていた。しかし、和文タイプは英文タイプに比べ、キーボードが馬鹿でかくて、キーの数が多く、キーの配置を覚えるのも容易ではない。そのため、英文タイプのキーボードのように、ブラインドタッチを行うことは困難であった。

これに対して、新たに登場した日本語ワープロが画期的だったのは、キーボードとして従来の英文タイプに使用されていた「QWERTY配列（キーボードの左上の最初の六文字キーの配列がQWERTYになっている）」をそのまま使用できる点にある。文字入力手法に「カナ漢字変換方式」が新規に開発され、QWERTY配列キーボードでカナ入力を行い、変換処理によって漢字も入力できるようになった。カナキーの配置も覚えやすく、ブラインドタッチも可能にしたのだ。

業務用の日本語ワープロの普及

私が社会人になった頃は、旧東京国際見本市会場で「ビジネスショー」という展示会が毎年春頃に開催されていた。パソコン、日本語ワープロ、音声認識技術の展示が主だった。

当時の音声認識技術は、登録した話者以外の人がしゃべるとボロボロで、単語もまともに認識できず、結局、実用化には至らなかった。音声認識技術がスマートフォンやスマートスピーカなどに採用され、世間に受け入れられるようになるのは平成の末頃で、第三次ＡＩブームが到来するのを待たなくてはならない。

また、音声認識処理をインターネット経由で、クラウド側で行う構成を可能にしたのも、成功の要因である。様々なユーザの音声がクラウド側に蓄積され、ＡＩによる機械学習のデータとして再利用される。これにより、ユーザが使えば使うほど認識精度が向上されるように、自律的に学習するシステムを作り上げている。音声信号処理だけでなんとか認識を実現しようと試みてから、研究開発まで、延べ四十年以上の歳月が費やされたことになる。

これに対して、パソコンと日本語ワープロは即戦力になり、ユーザの受けが良かった。国内のコンピュータメーカーだけでなく、ほとんどの家電メーカーや事務機器メーカーが揃って日本語ワープロの開発に手を出した。

やがて「ローマ字漢字変換」の機能もサポートされ、連文節変換などが可能になると、この拡張された「カナ漢字変換」機能は「FEP（Front-End Processor）」と呼ばれる単体のパソコン用ソフトウェア（ジャストシステム社の「ATOK」など）として販売されるようになった。

そうすると、海外製のコンピュータでも、ディスプレイに日本語表示用の漢字ROMとこのFEPソフトを追加実装すれば、英語のキーボードでも日本語入力が可能になる。この頃、パソコン向けに、創業直後のジャストシステム社から日本語ワープロソフト「一太郎」の前身である「jX-WORD」が発売されている。

しかし、当時の16ビットのパソコンには、ワープロソフトを快適に動かせるほどの処理能力がなく、特に「ATOK」などのFEPソフトの「カナ漢字変換」処理は遅かった。また当然、当時のワープロソフトでは画像の貼り込みはできなかったし、ページをスクロールさせるだけでも、画面が更新されまでの待ち時間が長かった。

したがって、汎用パソコンでまともにワープロソフトやFEPソフトを動かせるようになるためには、32ビットのパソコンOS、マイクロソフト社の「Windows95」の到来を待たなければならない。

業務用ワープロ専用機「OASYS」

そんなわけで、業務用の日本語ワープロとしては、汎用パソコンで動かすのではなく、ワープロ専用機が開発され使われた。構成はデスクトップパソコンと類似していて、16ビットCPU搭載のコンピュータ本体と、8インチのフロッピーディスク装置、そして「ドットインパクト型プリンター」で、価格は百万円近くした。

ディスプレイはもちろんブラウン管タイプだったが、A4判の文書をほぼ原寸大で表示できる縦長のブラウン管タイプも開発され、非常に使い勝手が良かった。

見かけは汎用パソコンと類似しているが、OSがなく、電源を起動すると日本語ワープロのシステムが起動する。FEPソフトは独立しておらず、システムに組み込まれている。そのため、汎用パソコンのようには別メーカーのFEPをインストールして使用することができなかった。

私が社会人時代前期の時に最も人気があったワープロ専用機は、富士通の「OASYS」で、社内でも多くの部署で使用していた。といっても、今日のパソコンのように小型で安価ではないため、各従業員の机に一台ずつ配布することは、予算的にもスペース的にも実現不可能であった。

そこで、部署内に「ワープロルーム」というものを設け、そこに数台の「ＯＡＳＹＳ」を設置して、順番待ちをしながらシェアして使用していた。コピー機の使用でも待ち行列ができることがあったが、ワープロの待ち行列の長さは半端ではなかった。

富士通独自のワープロ向けキーボード「親指シフト」

「ＯＡＳＹＳ」の人気が高かった理由の一つに、「親指シフト」と呼ばれる富士通独自のキーボードの存在がある。ベースは「ＱＷＥＲＴＹ配列」のキーボードだが、このキーボードを使用する場合は、「カナ漢字変換」モードで使用することが前提だ。

一般的なワープロ専用機のキーボードは国産パソコンと同様に、一つの文字キーに英文字とカナ文字が一つずつ割り当てられている(カナキーは英字キーだけでは足りないので、数字や記号キーにも割り当てられている)。これに対して、この「親指シフト」キーボードでは、一つの文字キーに英文字と二種類のカナ文字が割り当てられており、左右にある二種のシフトキーを用いながら、二種のカナを切り換え入力できるようになっているのだ。さらに、同じキーで濁音・半濁音の入力もでき、単一のキーで四種類のカナ文字と英文字の大小文字を含め、全六種類を切り換えて入力できる。その結果、打鍵回数が少なくなるため、理論上「ローマ字漢字変換」方式に比べ二倍の速度で日本語入力が行える。

しかしその後、「ローマ字漢字変換」方式でも、連文節変換や文章一括変換などの、人工知能を用いたスマートな予測変換が可能になると、「親指シフト」の優位性は薄れてきた。

もっとも、今日でも「親指シフト」キーボードを汎用パソコンにつないで、「Ｏｆｆｉｃｅ」ソフトを「ＯＡＳＹＳ」風に使用している根強いファンも少なくない。

●個人向けのパーソナルワープロの普及

このように、オフィスではワープロ専用機が普及していったが、並行してパソコン業界では液晶ディスプレイとノートパソコンの開発が進行していた。

しかし、当初の液晶ディスプレイはサイズが小さく、電卓や電子手帳に利用されるレベルであり、液晶がワープロ専用機のブラウン管ディスプレイを代用するには、技術的なハードルが高かった。

もっとも、タイプライターでは常に一行分の文字列しか確認できないが、それでもなんとか文書を作成できていた。個人向けのワープロには、業務用のワープロ専用機のディスプレイのように、必ずしもページ全体を表示する能力は必要ないのではないかと、妥協策が考えられ始めた。

そこで、パーソナルワープロ向けに、数行だけを表示できるように縦方向に縮小した、扁平で安価なモノクロ液晶ディスプレイの開発が進められた。そして、この扁平な液晶ディスプレイを組み込んだノート型のワープロ専用機が開発された。

ちょうど良いタイミングで、ソニーから3・5インチの小型カセット型のフロッピーディスク装置が開発され、これが前述のノート型ワープロ専用機に搭載された。ちなみに、その頃の業務用ワープロ専用機では、8インチから5インチのフロッピーディスク装置が外付けで使用されるようになったばかりである。

パーソナルワープロ向けの「熱転写型プリンター」

また、ワープロ専用機にはプリンターが必須だが、業務用に使用されている「ドットインパクト型プリンター」は筐体(きょうたい)が大きく、プリント出力時の音がうるさかった。これを小型・軽量化することは難しく、家庭で使用するには難点があった。

そこで、別途開発が進んでいた、印字音が静かな「熱転写型プリンター」が注目された。「熱転写型プリンター」は、紙の上にインクリボンを当て、その上からドットパターン型の加熱ヘッドによりインクを紙に転写する方法をとっている。そのため、印字騒音がほとんど発生しない。そして、インクリボンの幅を、一行分印字できるレベルに狭くすれば、小型化・薄型化も可能になる。これにより、前述のノート型ワープロ専用機の前方にプリンターを内蔵させることが可能になった。

「熱転写型プリンター」では、インクリボンとして、ブラックだけでなく、イエロー、マゼンタ、シアンの三色を使用すれば、フルカラー出力も可能であった。

ただ、インクリボンは印字に使用されない領域がかなり残る上、その未使用領域を残したまま廃棄されるので、当初は不経済な面があった。その後、使用済みインクリボンをメーカーが回収してリサイクルする体制が確立したので、リボンのコストは大幅に低減していった。

パーソナルワープロの進化と低価格化

このようにして、業務用のワープロ専用機における、ディスプレイ、フロッピーディスク装置、プリンターからなる全ての周辺機器を単一の筐体に収めたパーソナルワープロが実現した。

最初の機種は十万円強で販売され、業務用のワープロ専用機に比べると超破格であった。携帯可能なため、業務の出張時に持参するビジネスマンも結構いた。現代のノートパソコンに比べれば、かなりの重量はあったが。

その後、ノートパソコンの開発が進むにつれ、液晶ディスプレイの大型化とカラー化が進み、パーソナルワープロもこれに追従して、特に液晶ディスプレイの性能が向上した。ノートパソコンはまだ非常に高価だったが、パーソナルワープロの販売価格は、民生向けということもあり逆に下落していった。

最終的には、「ハンドスキャナ」が付いて、写真画像の貼り込みが可能になった。また、年賀状印刷向けに、住所録などのデータベース機能が搭載されても、五万円を切る価格になった。

論文作成におけるワープロ専用機の限界

私は平成五年頃から学術論文を書き始めた。英文論文を作成する場合、業務用のワープロ専用機を用いても、英文字の「ピッチ詰め（今日では後述の「カーニング」と呼ばれる組版手法も使われている）」が行えないという問題に遭遇した。

英文字は日本語の文字と異なり、文字の幅が狭い「I」から、文字の幅が広い「W」まで、文字幅がバリエーションに富む。これを原稿用紙のマス目のように均等間隔で印字すると、英文タイプライターで作成した文書のようになり、読みにくくなってしまうのだ。ただし、プログラミングを行う場合は、スペルミスを見つけやすいので、むしろ均等間隔が好まれる。これに対して商用印刷物では、和文文字も含めて、文字ごとに文字間隔を変化させるピッチ詰めが行われることが多い。

ちなみに、「ピッチ詰め」は、グーテンベルグの活版印刷の頃から存在するレトロな技術で、文字ごとに横幅が異なる活字を用いて組む手法である。例えば、「T」「i」「c」では、各々活字の横幅が異なる。しかし、これら三文字を詰めて組むと、「T」の右下と「i」との間が「i」と「c」の間に比べ開き過ぎてしまう。そこで、「T」の仮想ボディ（活字の矩形領域）の右下内に文字「i」を食い込ませる組版手法が開発された。「カーニング」と呼ばれ、活字組版では物理的に不可能であったが、デジタルのフォントを用いるＤＴＰでは可能である。「ピッチ詰め」と「カーニング」を含めて、「プロポーショナル文字組版」とも呼ばれる。

また、ワープロ専用機では、文字サイズが半角・全角・倍角などに制約されているので、論文の投稿規程に指示されている文字の「ポイントサイズ」を自由に指定できず、論文体裁として見劣りがした。これは逆にいうと、学術論文の世界では、ポイントサイズを自由に指定でき、ピッチ詰めが行える、日本語ワープロより高機能な文書作成ツールが既に普及していたことを示唆しており、私はショックを受けた。

学術分野向けにＤＴＰの普及

当時、欧米ではＤＴＰ（Desk Top Publishing）がさかんであった。特に論文出版コストを抑えたい学術分野では、ＤＴＰが先行して使用されるようになり、「ＬａＴｅＸ（ラテフ）」と呼ばれるフリーツールが普及した。

これを用いると、パソコンに標準搭載されているテキストエディタ（メモ帳）だけで、印刷会社並みに欧文がピッチ詰めされ、さらに図・表・写真等を貼り込んだ、高度にレイアウトされた文書を作成できた。ホームページを作成するＨＴＭＬ（HyperText Markup Language）文書と類似していて、テキストの随所にタグを挿入して書式を制御する方法である。

特に数式や化学式など、ワープロでは困難な専門分野向けの特殊なレイアウト機能を、文字入力するだけで作成することができた（ただし、数式組版等では、タグ付けにおいてプログラミングを行うレベルのスキルが要求される）。そして、当時開発が進んでいたレーザープリンターで出力すると、印刷会社が作成するオフセット原版並みの品質で原稿が作成できたのだ。

このフリーウェアのＤＴＰツールでは、プリンター出力をする前に画面上で最終レイアウトの概観を確認することはできた。しかし、編集作業はテキストエディタで行うため、仕上がりイメージを画面上で確認できず、プログラムを書くようなテキスト編集画面で入力・修正をしなくてはならない。

そこで、フリーツールを上回る商用ＤＴＰの重要な要件として、「ＷＹＳＩＷＹＧ（ウィジウィグ：What You See Is What You Get。見たまま印刷）」と称する、ディスプレイ画面上で仕上がりイメージのまま編集できる機能の必要性が叫ばれた。これを実現したのが、アップル社の「Ｍａｃ ＷＯＲＤ」や、マイクロソフト社の「ＭＳ-Ｗｏｒｄ（ＭＳ-Ｏｆｆｉｃｅ）」、旧アルダス社の「ＰａｇｅＭａｋｅｒ（現Ａｄｏｂｅ社の「ＩｎＤｅｓｉｇｎ」）等である。

コスパの良いワープロ専用機が廃れた理由

前述のとおり、平成五年頃に最終的に製品化されたパーソナルワープロには、カラー液晶ディスプレイが搭載され、３・５インチのフロッピーディスク装置と、カラー熱転写型プリンターが内蔵されていた。ＯＳはないが、ワープロソフト、カナ漢字変換ＦＥＰツールなどは実装され、これら一式で最終的に五万円弱で販売されており、極めてコストパフォーマンスが良かった。

これに対して、業務・民生用途を問わず、現在多くの方が使用している日本語ワープロの環境は、汎用パソコンに別売りのプリンター複合機を接続し、ワープロソフトをインストールして使わなければならない（パソコンに「Ｏｆｆｉｃｅ」がプリインストールされている場合も多かったが）。これらを全て新品で調達すると、優に十万円を超えてしまう。

しかし、たとえコスパが悪くても汎用のパソコンを採用する理由の一つに、前述の学術論文を作成する上で問題となったレイアウト機能の制約が挙げられる。ただ、それ以上に重要な理由は、互換性にあると思われる。

業務用のワープロ専用機は富士通製が普及していたが、全ての企業がそれを採用しているわけではない。特にパーソナルワープロは、使用している機種がより多様であった。そうすると、他社（他者）と文書データやテンプレートを交換したり、他社（他者）が作成した文書を再利用したりすることが、互換性のなさから難しくなる。

　また、汎用パソコン向けの国産のワープロソフトとして、ジャストシステムの「一太郎」があるが、結果的に、日本語ＦＥＰ機能（ＭＳ－ＩＭＥ）を搭載したマイクロソフトの「ＭＳ－Ｗｏｒｄ」には、残念ながら勝てなかった。この理由も、Ｍａｃ版への対応や、国際化への対応といった互換性の難点やガラパゴス性があった。

　そこで、全世界において、ＭａｃでもＷｉｎｄｏｗｓパソコンでも、あるいはｉＰａｄでもＡｎｄｒｏｉｄタブレットでも稼働する、互換性の高い「ＭＳ－Ｗｏｒｄ」を採用する企業や個人が増えていった。特に、「ＭＳ－Ｏｆｆｉｃｅ」が登場すると、これがプリインストールされたパソコンが増え、割安感が増大した。

　これは、コスパの良いガラパゴス携帯（フィーチャーフォン）から、割高なスマートフォンに移行が進んだのと類似した現象である。多少割高であっても、ＯＳが標準化されて、全世界で通用する、ガラパゴス化されていない、データの互換性が高い方を、特に国内の人々は選択するようである。

　また、ワープロ専用機では、新規な機能が追加された場合、ハードウェアごと一式買い替えになる。これに対して汎用パソコンの場合は、ワープロソフトやＦＥＰソフトのみを最新版にアップデートすることができるのも、汎用パソコンを使用する人が多くなった第二の理由である。

特に最近では、「Ｍｉｃｒｏｓｏｆｔ３６５（旧Ｏｆｆｉｃｅ３６５）」などのように、ＯＳを含めソフトウェアを、買い切りでなくサブスクリプション（定期的に料金を払い、製品やサービスを一定期間利用できる形式）により常に最新版を使用できるライセンス体系になってきた。そうすると、追加費用なしに常に最新のワープロ機能を使用することができるのである。

第10章

社会人時代
（昭和59年～）

コンピュータと各種入出力装置を接続するインターフェース・ケーブルの話

ピギーバック（肩車）・ケーブル

――USBの前身：数珠つなぎケーブル

進化するケーブルの中で、昔からほぼ変わらない「電源ケーブル」

オーディオ、テレビ、ビデオなどのＡＶ機器やコンピュータでは、複数の機器を接続したシステムになっていることが多い。後述するように、多くのＡＶ機器の内部はアナログ処理からデジタル処理に移行した。それに伴い、機器間を接続するケーブルやコネクタもデジタル対応となり、進化している。

一方、コンピュータは当初からデジタル処理であるが、複雑なパラレル伝送（１バイト８ビット単位の伝送）から、単純なシリアル伝送（１ビット単位の伝送）に移行した。これとともに、接続対象の機器に依存せず、ケーブルやコネクタを統一化する方向に進化している。

これらに対して、私が物心ついた頃からほとんど変化していないケーブルがある。

まずは、商用電源ＡＣ１００Ｖのコンセントと電気機器を接続する「電源ケーブル」だ。電源を受けるプラグの形状も変化していない（海外では電圧の規格も異なり、コンセントとプラグの形状も千差万別だ）。

これはテーブルタップ（信号系では「ハブ」と呼ばれる）を使用すれば、単一の電源コンセントから複数の電気機器をたこ足にして容易に接続することができるという特徴がある。

互換性がありそうでない「ACアダプター」

　また、消費電力が低い直流電源で動作する電子機器向けに、「ACアダプター」と呼ばれる、商用の交流電源を直流電源に変換する機能を内蔵させた電源ケーブルがある。昔に比べ軽量化・コンパクト化が進んではいるものの、これも顕著な変化は見られない。

　その理由は、ACアダプターには電圧をAC100Vから5V前後に落とすための「電源トランス」が欠かせないためである。電源トランスは鉄心に一次側・二次側の二本の導線が巻かれたもので、小型軽量化が進んではいるものの、現状でも電子部品の中で最も重量があり、結構かさばる。

　ちなみに、従来の白熱電球とコネクタ形状で互換性があるLED電球が、ガラス製の白熱電球よりずっしりと重いのも、電源トランスが内蔵されているためである。

　ACアダプターを電子機器に接続する側の丸い同軸形状のコネクタは、いくつか種類があるものの、ほとんど変化していない。また、なんとなく規格統一化されているように誤解されがちだが、コネクタの形状はメーカー間で類似してはいるが、物理的には差し込むことができず、似て非なるタイプが多い。出力される直流電圧もメーカーごとに千差万別で、なぜか規格化を進めようとする動きがない。

コネクタは二重の同軸になっているが、極端な例では、外側の電極と内側の電極とで、メーカーにより直流のプラスとマイナスが逆転しているものもある。そのため、形状が同一だからといって、誤って別メーカーのＡＣアダプターを接続すると、電子機器が燃えて火災事故につながる可能性もあるのだ。

●進化しない電話線とアンテナ線

私の家は商店だったので、物心がついた頃からダイヤル式の黒電話があった。その後、電話機を親子二台にするため、分岐ユニットを設置してもらった。また、コードレス電話やＦＡＸを接続するために、黒電話のローゼット端子（ケーブルをボックス内でネジ止めするタイプ）を、モジュラージャック型（ケーブルの抜き差しが可能なタイプ）に変更してもらった。

しかし、黒電話のダイヤル・パルス式のアナログ電話回線の規格（他に「プッシュ・トーン式」という規格もある）であることは変わらない。そのため、宅内に引かれている電話線のケーブル（「より線」と呼ばれる）自体は、現在もそのまま使用している。

このように、電話線のケーブルは全く変化していないのである。

さらに、私が物心がついた頃から白黒テレビがあったが、屋根にＶＨＦアンテナがあり、「フィーダー」と呼ばれる平たいケーブルで宅内のテレビと接続されていた。

その後、カラーテレビに買い替えると、ケーブルを、今日でも使用している同軸タイプに変更した。テレビやビデオを増設する場合は、アンテナ線に分配器を付け、テーブルタップのようにアンテナ線をたこ足にして、容易に増やすことができた。

二〇一一年にアナログの地上波テレビ放送が停波し、地上波はデジタル放送に完全移行された。それに伴い、我が家も屋根のアンテナをＶＨＦからＵＨＦの八木式アンテナに設置し直した。しかし、アンテナ線はアナログ放送で使用していた同軸ケーブルをそのまま使用できた。不思議なことに、アナログからデジタルという結構大きな規格上の変革がテレビ受像機に起きても、アンテナケーブルとコネクタはアナログの時のまま変化していないのである。

オーディオ機器のコンポーネント化

オーディオでは、ラジカセのように一体型になった機器に対して、マニア向けにコンポ（コンポーネント・ステレオ）と呼ばれる構成も登場した。これは、レコードプレーヤやスピーカーなどの音響機器を様々なメーカーから調達して、ユーザが独自に組み合わせるものである。ただし、これらをバラバラに揃えると割高になる上、選定を誤って相性の悪い機器を組み合わせると、充分な性能が出ないこともある。

そこでメーカーから、全ての機器を原則同一メーカーの指定機種に揃えた「システムコンポ」というセット製品も提供されるようになった。いわば、メーカーの性能保証付き「おまかせコンポ」である。

ちなみに、システムキッチンやシステムバスなど水回りの住宅設備にも「システム」と命名された製品が登場したが、これもシステムコンポと同様な考え方である。即ち、シンク、調理台、ガスレンジ台、食器棚など、同一メーカーの標準化されたユニットを使用するものだ。大量生産により、価格や施工期間を低減させることができ、特に集合住宅やホテルなど、間取りが均一な部屋向けに開発された製品である。中には、ユニット間で接続ケーブルや配管を必要とするものもある。

オーディオ用ケーブルの材質の進化

前述のオーディオのコンポでは、レコードプレーヤ（ターンテーブル）、カセットデッキ、CDプレーヤ、ラジオチューナー、アンプ（プリアンプ、メインアンプ）、スピーカーの各ユニットを、メーカー・機種を問わず自由に組み合わせることができる。各構成機器につき最良のメーカーの製品を選び、機器間を互換性のあるケーブルで接続できるようにしている。

映像と対照的に、オーディオは今日でもアナログが主流である。ハイレゾ・オーディオにより可聴域を超える超音波帯に含まれるデジタル化された音も再生可能になった。しかし、聴覚に訴えるスピーカーやヘッドフォンなどの出力系は、完全にアナログ処理である。デジタルの01信号を基にスピーカーを駆動するデジタルスピーカーの研究事例もなくはないが、従来のアナログのスピーカー並みの音質には至っていない。

アンプはデジタル方式もあるが、現在でもアナログ処理が主流で、高級なアナログアンプには未だに真空管が使われている。

アナログでは、同じ仕様のケーブルを使用しても、ケーブルの材質や太さにより、耐雑音性や周波数特性が変化し、音質に差が生じることがある（マニアでないと違いがわからないことも多いが）。特にスピーカーケーブルは音質を左右しやすいため、光ファイバケーブルを使用するなど様々な形態が提案されている。

ヘッドフォンを購入すると、ケーブルを接続するステレオプラグがもう一種類同梱されている場合がある。ケーブルの先端は一般ユーザ向けのミニプラグになっているが、付属の変換プラグを装着すると、プロ・マニア向けの標準プラグに変換できる。口径が顕著に大きい標準プラグを使用すると、音質に差が出るらしい。

ビデオケーブルのデジタル化に伴う進化

これに対してビデオの方は、ハイビジョン、４Ｋ、８Ｋなど放送のデジタル化と高画質化が進んだことに伴い、走査線が五二五本の時に使用されていた「ＲＣＡコネクタ」を用いたアナログのビデオケーブルが使用できなくなった。

デジタル対応のビデオケーブル向けに、「ＤＶＩ（Digital Visual Interface）」や各種Ｄ端子が提案されてきたが、最終的に「ＨＤＭＩ（High-Definition Multimedia Interface）」に統合されるようになった。

ＨＤＭＩでは、デジタルオーディオや電力の伝送も可能である。そのため、テレビと外付けスピーカー（サウンドバー）、録画機器（HDDレコーダー）、DVD／ブルーレイプレーヤとの接続がシンプルになった。特に、デジタル伝送の場合は、ケーブルの材質や太さにより画質や音質が変化することは原理的にないため、経済的でもある。もっとも、オーディオと同様に高価な材質のHDMIケーブルも販売されており、普及品に比べ画質が向上するという胡散臭い宣伝も見られるが。

コンピュータと周辺機器の接続ケーブル

マウスを使用し始めた頃の初期のWindowsデスクトップパソコンでは、パソコン本体と周辺機器を接続するケーブルとコネクタは、周辺機器ごとに異なっていた（接続ミスをする心配がないという利点はあった）。

一般的に、キーボードやマウスはPS／2コネクタ（IBM社の「PS／2」パソコンで使用されたもの）のシリアルケーブル、ディスプレイはD-subコネクタのアナログビデオケーブル、プリンターはセントロニクス社のコネクタのパラレルケーブルを使用していた。

また、第8章で述べた「XYプロッター」を接続する場合は、D-subコネクタのシリアルケーブルを使用していたが、パソコン側と「XYプロッター」側とでピン数が異なっていた。ケーブルに方向性があるわけではなく、逆に挿しても支障はないはずだが、今思い起こすと極めて不思議な形態であった。

シリアルケーブルは1ビット単位で伝送するのに対して、パラレルケーブルは8ビット単位で伝送する。当時は後者の方が伝送効率が高いと考えられ（のちに誤りであることが判明）、実際に伝送速度が高かった。そのため、高速な伝送を必要とする機器と接続する場合は、パラレルケーブルが使用された。

●ピギーバック型の計測器用ケーブル

前述のコンピュータ本体と周辺機器とを接続するケーブルは、いずれも一対一で接続するものだ。これに対して、単一のパソコンに複数の計測器を接続するために、「GPIB(General Purpose Interface Bus)」と呼ばれる奇妙なパラレルケーブルが提案された。私が大学四年生の頃のことである。

計測器メーカーのHP社（ヒューレット・パッカード）が提案したので「HPIB」とも呼ばれ、「IEEE488」という国際規格になった。この規格に準拠したコネクタが、パソコンや各種計測器に実装された。ちなみに、第4章で述べた「フィルムレコーダ」は計測器ではないが、なぜかＧＰＩＢでコンピュータと接続する形態だった。

計測器からの測定データをパソコンで収集して統計解析などを行う際、多くの計測器を接続したいという要望が強かった。パソコン側にＧＰＩＢコネクタを多数実装する方法も考えられるが、コネクタ内に24ピンもあって外形が結構大きいため、物理的に二個以上並べることは困難である。

もっとも、コネクタが八個くらい付いた外付けの「拡張ＢＯＸ」という製品が販売されたことはあった。それでも、接続可能な計測器数は八個に制約される。

これに対して、無限個の計測器の接続を可能にするアイデアが提案された。接続ケーブルの両側のオスのコネクタの裏側に、各々メスの接続口を設ける。一方、パソコン本体や計測器側にはメスのコネクタを各々一個だけ実装すればいい。この状態でパソコンと計測器を接続すると、双方のコネクタの裏側にメスのコネクタが現れる。そうすると、パソコンまたは計測器に接続したケーブルの裏側のコネクタから、別の計測器に対してケーブル接続が可能になる。

コネクタをカメにたとえると、親亀の上に子亀を載せるという形態であり（子亀の上に別の子亀も載せられる）、電子部品業界では「ピギーバック（肩車）」と呼ばれる。

このようにして、理論上は一台のパソコンに無限個の計測器を数珠つなぎ（バス接続。デイジーチェーン接続）にすることが可能になり、複数の計測器からのデータ収集が可能になった。ただし、規格上は最大十五台に制限している。

電子楽器やHDDで数珠つなぎのサポート

第5章で述べた、一九八二年に規格化された、パソコンと複数の電子楽器を接続する「MIDI規格」においては、各電子楽器に三つの小さな端子（In,Out,Through）が設けられた。これにより、コネクタを特殊な形状にしなくても、単純なシリアルケーブルで最大十五台までの電子楽器をデイジーチェーン接続することを可能にした。

即ち、パソコンに一台目の電子楽器を接続すると、その電子楽器に実装されているもう一つのコネクタから二台目の電子楽器を接続することができる。このような接続形態を繰り返すと、無限の電子楽器を数珠つなぎにできるわけだ。ただし、MIDIの規格においても、接続可能な電子楽器は最大十五台に制限している。

その後、ハードディスクやCD‐ROMドライブ装置が登場すると、「SCSI（スカジー：Small Computer System Interface)」というパラレルケーブルが提案された。これは、ＭＩＤＩ規格と同様に、ＳＣＳＩ仕様のコネクタが各周辺装置に二つずつ実装されており、同様に複数台の各種ドライブ装置をバス接続することができるものだ。

●「USB」に統合

当初、８ビットずつ同時に伝送できるパラレルケーブルは、伝送速度がシリアルケーブルより速かった。しかし、改良を重ねて伝送速度を上げていくと、パラレルケーブルでは隣接するビット信号ケーブル間の干渉（漏洩）が増えて、速度向上に限界が見えてきた。これは、「はじめに」で述べたクロック周波数が限界に達するのと同じ理由である。

そこで、シリアルケーブルに軍配が上がり、あらゆる機器を同一仕様のシリアルケーブルで接続可能にする「ＵＳＢ（Universal Serial Bus）」の規格が一九九六年に制定された。

これはコネクタ形状が小さいので、機器に複数のＵＳＢコネクタを実装することが容易である。また、「ＵＳＢハブ」という分岐ユニットも提案され、電源ケーブルと同様にたこ足配線が可能で、一台のコンピュータに対して最大百二十七台までの機器を接続可能にした。

ＨＤＭＩと同様に、データだけでなく、５Ｖの電力も伝送可能である。最初の規格（バージョン1．0）では12Mｂｐｓの伝送速度だったが、年月とともに伝送速度が向上しており、二〇一九年版の最新規格「ＵＳＢ４」では40Ｇｂｐｓと、千倍以上の高速化が進んでいる。

第11章

社会人時代
（昭和60年～）

コンピュータを活用した大規模な
文書の電子化アプリケーションの話

百科事典の電子化

——初代の電子書籍：CD-ROMを用いた百科事典等の電子化

●インテリアとしての百科事典

私が小学生の頃、友人のお宅にお邪魔すると、応接間（リビング）の本棚に一揃いの百科事典（エンサイクロペディア）が整列している光景をよく目にした。しかし、誰かがこの本を取り出して読んでいる光景を目にしたことはなく、インテリア装飾品の一つのような扱いであった。

ちょうどその頃に、小学館から新刊の図鑑シリーズが創刊になったのを機に、私の家でも、毎月一冊ずつ発売されるその図鑑を近所の本屋さんに取り寄せてもらうようになった。小学校を卒業する頃には、三十巻近くある図鑑のシリーズが家の本棚に揃っていた。

毎月、新刊を手にするのが楽しみで、そこには私の知らない様々な科学技術分野の話題が、イラスト付きでビジュアルに表現されていた。百科事典の一巻をカバーツーカバーで読む人はあまりいないと思うが、図鑑は比較的短時間で通読できてしまう。私は毎月、一冊ずつ一通り目を通してから本棚に収めていたので、各冊の大まかな内容を把握していた。

私の家に遊びに来た友人の中には、この図鑑シリーズを珍しがった子も結構いた。そのため時々、友人たちに何冊かの図鑑を貸し出し、まるで子供図書館のようなことをやっていた時期もあった。

●百科事典の変遷「電子書籍」「インターネット」

その後、後述するように、CD-ROM媒体で電子書籍化する技術が登場し、本棚の大部分を占める三十巻近い百科事典のシリーズも、一枚のCD-ROMで出版可能になった。ただ、百科事典に掲載される技術用語等は、時代とともに改訂・追加されるので、数年に一回程度の頻度で改訂版を出す必要があった。

やがて、インターネットが登場し、ブロードバンド通信技術が進化すると、電子化された百科事典のコンテンツが、ネット上で閲覧可能になった。そうすると、ウイルス対策ソフトのパターンファイルのように、デイリーに記述内容をアップデートすることが可能になり、常時最新の内容が掲載可能になった。

また、紙媒体の百科事典のようなページ制限はないし、事典内の他のページを参照する場合、またはページに掲載できなかった詳細資料を参照する場合は、ハイパーリンクによりワンクリック操作で見ることができる。特に、複数の書籍にまたがる参照操作は、ネット上に存在する電子媒体でしか実現できない機能である。

●百科事典の出版作業のバーチャル化

ところで、従来のような特定の出版社によって編集される百科事典では、執筆者の専門性や得手不得手により、どうしても掲載分野や内容に偏りが生じがちであった。そこで今世紀初頭に、「ウィキペディア（Wikipedia）」と呼ばれる、ボランテイアの執筆者によりネット上でダイナミックに執筆・編集されるバーチャルな百科事典が登場した。

この背景として、初期のＷｅｂから「Ｗｅｂ2.0」と呼ばれるものに進化し、Ｗｅｂブラウザ上で閲覧するだけでなく、ユーザによる書き込みが可能になったということがある。これがやがて、ブログやＳＮＳ（Social Networking Service）などのソーシャルメディアにも発展する。

「ウィキペディア」はウィキメディア財団が管理しているが、出版社のような編集者はいない。したがって、掲載内容の文責は保証されないが、絶えず別の執筆者により見直し・修正が行われ、日々多数決の見解に基づいて収斂されていく。そのため、従前の百科事典より、むしろ記述内容の信頼度が高くなると考えられている。ただし、ネットが使えない環境では閲覧できないという制約はあるが。

これに対してシャープが、電子手帳「ザウルス」において、辞書一冊分のデータが収録された半導体メモリカードを用いて、携帯可能な電子辞書を実現した。その後、セイコーやカシオから、数十冊を超える辞典や事典データが収録された電卓型の電子辞書が開発・発売された。

ちなみに、カシオ「ＥＸ－ｗｏｒｄ」の二〇二〇年度プロフェッショナルモデル「ＸＤ－ＳＸ２０００」では、二百冊の事典に加え、三千冊の青空文庫などの文学作品（このキーボード付きマシンで電子書籍を読む人がいるとは私は思えないが）も収録されている。さらに興味深いことに、音声データも多数収録されており、辞典に掲載されている英単語や日本語の発音はもちろん、クラッシック音楽の名曲から一〇〇〇フレーズが収録されている（名曲クイズ問題でも企画する以外、誰が使うのか疑問だが）。

それだけ、内蔵されている半導体メモリの容量が巨大化し、これをどのように埋めるかにかなりの苦労をしていることがうかがえる。

こうして、ネット上や半導体メモリにコンテンツが蓄積された電子書籍の進展に伴い、ＣＤ－ＲＯＭ媒体の電子書籍は衰退していく。

世界初の電子書籍を出版する試み

①世界初のCD－ROM電子書籍『最新科学技術用語辞典』

ここで話を過去に戻し、私の経験に基づいて、電子書籍の元祖であるCD－ROM媒体を用いた電子書籍は、そもそもどのような経緯で開発されてきたかについて述べたい。

一九八五年、世界初のCD－ROMコンテンツの電子書籍『最新科学技術用語辞典』が、三修社から出版されている。これは科学技術用語について英・独・和の三か国語間で相互に参照できるようにしたもので、紙媒体では三巻あった。

『最新科学技術用語辞典』の制作が着手された頃、音楽CDはすでにあったが、コンピュータで使用可能にするCD－ROMドライブは開発途上だった。そこで、初版（非商用デモ版）は8インチ・フロッピーディスク（一枚あたり1Mバイト）に収める方針になった。

②大型コンピュータを用いた文字組版処理

この頃既に、辞典印刷に必要な文字データの組版処理には、大型コンピュータを用いた「CTS（Computerized Typesetting System）」と呼ばれるシステムが使用されていた。第9章で述べた「カナ漢字変換」を用いた文字入力手法は、まだ印刷業務で使用できるレベルではなかったので、印刷会社の電算写植に使用される「多段シフトキーボード」によって、文字データがこの大型コンピュータに入力されていた。「多段シフトキーボード」とは、各々の漢字キーに、三×三の九文字の漢字が割り当てられているものである（四×三の十二文字が割り当てられているタイプもある）。そして、テンキーのような三×三個のシフトキーのいずれかを押すことにより、三×三個の漢字の中から選択して入力できるようになっている。即ち、漢字キーとシフトキーを同時に押しながら単一の漢字を入力していくのだ。これは第9章で述べた「カナ漢字変換」に比べてキーボードが巨大で、入力操作にかなりの熟練を要する。

ちなみに、第9章で述べたワープロ専用機「ＯＡＳＹＳ」の「親指シフトキーボード」では、各キーに二文字のカナが割り当てられていた。原理的には「多段シフトキーボード」と同じだが、シフトキーは二つだけである。

このようにして、文字データが大型コンピュータに入力されると、同コンピュータ上で電子的に組版が行われて、高精度なレーザープリンターにより、印刷用の原版がフィルム媒体で出力される。

③大型コンピュータのデータを活用

つまり、大型コンピュータには、印刷対象の辞典の全文字データが蓄積されているわけだ。これらの文字データをパソコンで閲覧できるようにするため、データをパソコンに一式転送し、フロッピーディスクに書き込むことにした。

そしてパソコン上で、フロッピーディスクを参照しながら「見出し語」で検索できるようなシステムを開発した。具体的には、三か国語のいずれかの言語で「見出し語」を入力して検索をかけると、別の言語または同言語で、意味や説明が表示されるようにした。

大きな問題は、大型コンピュータに蓄積されている三か国語の文字データを、どのようにパソコンに移行するかである。当時、業務で使用されていたパソコンは、NECの「PC-8801」という8ビット機だった。これはHDDと日本語の漢字の表示機能が搭載されてベストセラーになった「PC-9801」の一歩手前の機種だ。

そのため、デモ版では日本語表示は断念し、ローマ字表記で対応する方針になった。それでも、1Mバイトの8インチ・フロッピーディスクに文字データをどのように転送・収録するかの問題が残った。

④大型コンピュータからパソコンへの転送

当時は、大型コンピュータにパソコンを直結する手段はなく、大型コンピュータ（富士通製）で使用されているオープンリール式の磁気テープをパソコンで読む手段もなかった。逆に、パソコンで使用されている8インチ・フロッピーディスクに、大型コンピュータから書き込む手段もない。

そこで、第7章でも登場したが、旧DEC社のスーパーミニコンを仲介させる方法をとった。というのも、ミニコンは大型コンピュータとパソコンの中間に位置し、双方の機能を併せ持っていて小回りが利いたからである。スーパーミニコンには、オープンリール式の磁気テープ装置が付いており、第12章で述べる「パソコン通信」を行うための音響モデムやシリアルケーブルを接続する口も持っていた。

第5章で述べたように、オープンリール式の磁気テープはIBM標準で、メーカーが異なってもコンピュータ間で互換性があった。これにより、スーパーミニコンのHDDに文字データを移行することができた。

そして、スーパーミニコンとパソコンをシリアルケーブルで接続して、第12章で述べる「パソコン通信」と同様な方法で（離れていないので、電話回線や音響モデムは不要）、パソコンのフロッピーディスクに転送することができたのである。

⑤世界初の電子書籍デモ版の実現

デモ版の制作ということもあり、三巻からなる全ての辞書の文字データを収録することは断念した。文字データに、独自開発のデータ圧縮技術を適用することにより、可能な限り多くの文字データを詰め込むようにし、フロッピーディスクの容量の1Mバイトという制約の中で、結構効果的な三か国語の辞書機能を実現できた。

結果的に、辞書一巻分をなんとか一枚のフロッピーディスクに収録できた。したがって、フロッピーディスクが三枚あれば、三巻からなる全ての辞書データが収録可能であった(ただし、日本語をローマ字表記にした場合)。当時の技術でも、あれだけ重たい書籍を電子化すると、ここまでコンパクトになるものかと非常に驚かされた。

一九八四年に池袋のサンシャインシティで開催された「東京国際ブックフェア(当時の名称は「日本の本展」)で、この世界初の電子書籍のデモ版が披露された。

一九八二年には、NECの「PC－9801」という16ビット機が登場しており、日本語表示機能と、やがてはCD－ROMドライブも使用可能になった。これにより、CD－ROM一枚で構成される商用版の電子書籍の販売が開始されたのである。

電子書籍向けCD-ROMと携帯型電子書籍プレーヤ

12センチの標準CD-ROMは640Mバイトあるが（その後、700Mバイトに拡張された）、このサイズと容量は、音楽CDの収録時間（七十四分）に基づいている。音楽CDの収録時間のこの規格は、ベートーヴェンの「交響曲第九番　合唱付き」の平均的な演奏時間に基づいて決められたものである。即ち、規格決定にあたり、ベートーヴェンの「第九」を一枚のディスクに収録できることが前提になった。

前述したとおり、文字データが主体の電子書籍の場合、フロッピーディスクではさすがに容量不足だが、CD-ROMでは逆に容量が大きすぎて中途半端であり、書籍一冊分を収録しても、お皿のかなりの領域がムダになってしまうという懸念があった。そこで、電子書籍やシングル楽曲向けに8センチのミニCDという規格も提案された。

また、CD-ROM版の電子辞書向けに、「EPWING（イーピーウィング）」と称する検索機能などのユーザインタフェースの規格統一も進められた。現在、CD-ROM版のユーザは少ないと思われるが、今も改定が進み、サポートされている。

一九九一年にソニーから「DD-1（データ・ディスクマン）」という、世界初の携帯型電子書籍プレーヤが発売された（それまでの電子書籍はパソコンで閲覧）。これは、ソニーの携帯音楽プレーヤ「CDウォークマン」に、小型の液晶ディスプレイとキーボードが搭載されたものである。ただし携帯性を重視し8センチのミニCDに限定して、CD-ROM版電子書籍、及び音楽CDの再生が可能であった。

●学術文献の「PDF」による電子出版

電子書籍は、前述の辞典類やコミック以外には国内ではあまり普及していない。しかし、学術文献や特許公報の分野では一〇〇%と言っていいくらいに「PDF（Portable Document Format）」を用いた電子化、及び印刷媒体を作成しないペーパーレス化が進んでいる。

学会発表や学術論文の執筆では、過去に発表または掲載された学術文献を入手して、自分の研究内容と比較参照して新規性を主張することが求められる。そのため、大学や研究機関の図書館のほとんどのスペースは、最近まで、学会などから出版されたジャーナルのバックナンバーで占められていた。それが、一九九三年に提案されたPDFの導入により、劇的に変わったのである。

一年分のバックナンバーはCD-ROM一枚に収録できるため、過去の文献については各機関の図書館で、紙媒体で個別に所蔵する必要がなくなった。さらに、新規に出版される論文についてはＰＤＦ出版が前提であり、資金的に余裕がない多くの学会では紙媒体での出版が廃止された。

これらにより、論文出版や論文所蔵に関わる経費を大幅に削減でき、研究機関や研究者の経済的負担も軽くなった。

また、学術論文の末尾には参考文献がリストアップされており、電子媒体の場合はハイパーリンクを設定できるため、該当する参考文献も、電子化されてネット上に公開されていれば、クリック一つで閲覧が可能になった。即ち、参考文献を検索して取り寄せたりする必要がなくなったのである。

●特許公報の「ＰＤＦ」による電子化以前と以後

私が社会人になったばかりの頃、会社から特許調査を指示されて何度か特許庁に通ったことがあった。ライバル企業等が、プレスや展示会で発表した新製品の詳細を調べるのが主な目的だ。今日のように企業のホームページはないため、新製品の情報は、靴底をすり減らして調べてこなくてはならなかった。その代表的な情報源が、企業が外部発表する前に出願する「特許」だったのだ。

「特許」とは、企業等が開発した技術や製品の詳細な設計図を、敢えて文書化してオープンにしたものである（「特許」に対応する英語の「patent」は「公開する」の意味）。これにより、他社が模倣製品を開発することを敢えて可能にしている。

しかし、特許庁の審査を受けて特許を取得することにより、他社が模倣製品を開発・販売することを阻止する。あるいは、敢えて他社に特許取得製品の開発・販売を許諾して、ロイヤリティ収入を得ることもできる。

当時はまだワープロすら普及していなかったので、特許出願の明細書の本文と図面は、ほとんどが手書きで記述されていた。場合によっては百ページを超える分厚い出願書類も、紙媒体で特許庁に提出されていた。

そのため、提出用明細書の特許図面や文書の代筆を行う「代書屋さん」も豊富だった。ちなみに、特許事務所の「弁理士」は、発明者に代わって明細書の代書を行う仕事だが、その弁理士に代わって清書をする需要も大きかった。

出願された特許は、特許庁の審査を通過したものは無論のこと、一定期間を経過すると、特許の効力の有無を問わず特許庁より公開される。これらの特許書類は永久保存され、全て特許庁の図書館で閲覧できる。

当時の特許庁の閲覧室は、図書館の閲覧室のようにシーンとしてはおらず、ものすごい騒音にあふれた異様な光景であった。

閲覧室では多くの人（ほとんどが企業関係者）が、電話帳のような特許公報の要約・縮刷版を書棚から取り出して、その中から目的とする特許資料を探す作業を行っている。縮刷版は出願人（会社名など）別、公開年別に製本されていた。閲覧室の机の上に、この縮刷版を数冊積み上げて、順番に本の各ページをものすごいスピードでめくっていく。閲覧室に着席しているほとんどの人が、同様なページめくり動作を行っているため、いわば「ページめくり動作音の合奏」になる。指揮者がいるわけではないので、これがものすごい騒音となるのだ。

目的とする特許公報が見つかったら、特許の番号だけをメモしておき、あとで特許公報（全文）のコピーを入手する。特許庁内では、所蔵されている特許公報（全文）を閲覧することはできないが、複写依頼を頼むことはできた。

また、特許公報の複写依頼を庁外の委託業者に有償で依頼する方法もあり、業者に依頼すると特許公報のコピーがＦＡＸで送られてくる仕組みであった。

やがて、特許出願の明細書作成においてワープロが使用可能になり、特許庁に出向かなくても、オンラインで電子出願することも可能になった。そうすると、海外の特許を含めて、特許庁や委託業者のホームページで、PDF版の特許公報の検索と閲覧が可能になったのである。

特に特許公報（全文）のコピーは、PDF文書ファイル形態で、無償または有償で入手可能になった。したがって今日では、特許庁に足を運ぶ必要性がなくなったため、あの騒々しい閲覧室の光景も見られなくなったのだと思うと、ややさびしい気がする。

普及すると失職者が出るほどインパクトがある「PDF楽譜」

学術文献や特許公報に加え、「PDF」が今後普及する兆しがある媒体として「楽譜」がある。

最近、コンサートでピアノやオルガンなどの鍵盤奏者が、楽器の譜面台にタブレットを設置して演奏する場面をしばしば見かけるようになった。タブレットでPDF媒体の楽譜を表示すると、演奏者自身がワンタッチでページをめくる操作「譜めくり」を行えるため、これまで黒子で付き添っていた「譜めくり」屋さんが不要になる。

「譜めくり」の仕事は簡単そうに見えるが、譜面が読めて、演奏者の邪魔をしないように適切なタイミングでめくり動作を行う必要があるため、立派なミュージシャンの一員である。音楽大学の授業では「譜めくり」作業の訓練もさせられる。

　ピアノを演奏した経験のある方は理解できると思うが、練習曲集などページ数が結構ある製本(特に無線綴じ)された楽譜は扱いにくい。楽譜を譜面台に置いて演奏する場合、ページが勝手にめくれないように、見開きの両ページをクリップで固定する必要がある。さらに、ページをめくる場合は、両端に留めたクリップを一旦外し、ページをめくった上で、再度クリップ留めをする必要があり、この間、演奏を中断せざるを得ない。

　そのため、ペダル操作などで「譜めくり」を簡単に行える電子譜面台の開発が、私が社会人になる前から行われていた。ディスプレイ画面に電子楽譜を表示させる方法だけでなく、紙媒体の楽譜をロボット操作によりページをめくらせる装置も試作された。しかし、ピアノやオルガンなどの既製の楽器を改造して電子譜面台を設置することは容易ではなく、なかなか実用化しなかった。

　これに対し、アップル社のiPadProなどディスプレイが比較的大きく薄型・軽量なタブレットが登場し、既製の楽器の譜面台に紙媒体の楽譜の代わりに「譜めくり」が容易な電子楽譜を設置することが可能になった。ただ、紙媒体の楽譜は見開きでA3サイズ強の大きさがあるので、A4サイズのiPadProでも画面が小さく、普及にはまだ技術改良が必要かもしれない。ただ、このようなタブレット形態の電子楽譜が普及すると、「譜めくり」屋さんは失業に追い込まれる心配もある。

第12章
社会人時代
（平成３年〜）

世界中のコンピュータ同士をつなぐ
ネットワークの話

パソコン通信

――インターネットの前身：パソコン通信

●大型コンピュータにおけるユーザ間通信

私が最初にコンピュータに触れたのは、大学の専門課程での実習だった。エアコンがキンキンに効いている特別な部屋に鎮座している一台の大型コンピュータに対して、別室に三十台くらい設置されているTSS端末機からアクセスしていた。ちなみに、コンピュータ本体にはケーブルだけでなく水道管も通っていて、「チラー」と呼ばれる大型の冷水器で生成される冷水を供給してコンピュータを冷却していた。

TSS端末機は、ブラウン管モニターとキーボードの構成で、見かけはパソコンに似ているが、自律して計算するCPU機能は備えていない（「ダム端末」とも呼ばれる）。この各TSS端末機を用いてコンピュータを使用するには、今日と同様にユーザ名とパスワードを入力してログイン認証を受ける必要があり、ユーザアカウント管理の仕組みは昔から基本的に変わらない。

これによって、誰がどのくらい使用したかがわかる。私は大学三年生の時に、夏季休暇の期間中にほとんど毎日のように大学に通って使用していたので、お叱りは受けなかったが、実は問題になっていたらしい。

端末機はたくさんあり、多くのユーザが同時に使用できるが、接続先は同一のコンピュータであり、ハードディスクも共用している。そのため、他のユーザが作成したプログラムやデータを拝借したり(ファイル転送)、他のユーザにメッセージを送信したりする機能(電子メール）を実現することは容易であった。

実際、ログインしている全てのユーザに、「一時間後に中央コンピュータをシャットダウンします」といったメッセージが送られてくることがよくあった。

パソコン通信サービスの始まり

このTSS端末機の機能をパソコンで実現し、電話回線を介して、遠方に設置された大型コンピュータに接続することが可能になった。即ち、自宅のパソコンから大学や会社に設置されている大型コンピュータにリモートアクセスするといった在宅勤務も、初めて可能になったのである。

この形態により、大型コンピュータを保有する公的機関や企業等の施設が中心になり、ユーザ間で情報交換を行うサービスが、一九八五年頃から、あちらこちらでボランティア的に始まった。これは、町内会の回覧板を電子的に行うイメージで、「草の根BBS（電子掲示板：Bulletin Board System)」と呼ばれるパソコン通信の元祖であり、今日のWe bサイトの元祖ともいえる。

●通信に必須な「音響カプラ」

このサービスを既設の電話回線経由で使用するには、デジタルの通信メッセージをFAXと同様な信号音に変換する音響モデムが必要である。最初に業務で使用した音響モデムは「音響カプラ」と呼ばれ、固定電話の受話器を装着できる構造になっていた。第10章で述べたシリアルケーブルを経由して、「音響カプラ」からパソコンのシリアル（RS-232C）ポートに接続する。

通信を開始するには、普通に電話をかける場合と同様に固定電話でサービスセンターにダイヤルし、相手先からの信号音が聞こえて回線がつながったことを確認したら、受話器を「音響カプラ」に置く。そうすると、パソコンがサービスセンターの中央コンピュータと接続した状態になる。そして、以降の操作では、電話を切るまで電話料金が接続時間に比例して発生するので留意が必要だった。要するに、長電話をするのと同様な行為なのだ（私はあまりやらなかったが）。

主なサービスは、電子メール（一対一通信）と電子掲示板（BBS。一対多同報通信）で、テキストによる情報交換に限定されていた。

●「音響カプラ」の衰退と「音響モデム」の普及

音響カプラの伝送速度は300bps（現在の一般的なネットの通信速度の百万分の一以下）でかなり遅かったが、テキストのみによる情報交換にはあまり支障はなかった。ただ、「音響カプラ」は叩いただけで雑音を拾って文字化けしてしまう。そのため、より安定した通信を行えるように、受話器を介さずに直接、固定電話のモジュラー回線に接続できる音響モデムの開発が急速に進んだ。

音響モデムには、固定電話と同様に、第10章で述べた電話線ケーブルを接続できるモジュラージャックが二つ付いている。これにより、既設の固定電話用の電話回線を接続しても、通話用の固定電話も分岐して使用できるようになっていた。

この音響モデムにはダイヤル機能が内蔵されていて、パソコン側の制御ソフトによりサービスセンターに自動的にダイヤル音を発信して接続する機能を持っていた（ダイヤルアップ接続）。したがって、パソコン通信を行う上では、固定電話器は不要になったのである。

●商用パソコン通信サービスの始まり

一九八七年に、日商岩井と富士通が共同で「ニフティサーブ（NIFTY-Serve）」という商用のパソコン通信サービスを立ち上げた。私も平成になった直後（一九八九年）に、このパソコン通信サービスに個人で加入した。

最初に購入した音響モデムは２４００ｂｐｓで、同サービスが開始された頃に業務で購入した１２００ｂｐｓの音響モデムに比べ、半分以下の重量で、価格は五分の一ほど（約三万円）に下落していた。

商用パソコン通信サービスでは使用料が従量制で課金され、その上、音響モデムでダイヤルアップ接続している間は電話料金が従量制で別途課金される。したがって、時計を見ながら使用しないと、サービスセンター及びＮＴＴの双方から莫大な料金が請求されることになる。

特に電子メールを送信する場合は、パソコン通信に接続する前に、送信文書をワープロで作成しておき、パソコン通信にログインした段階で、メールの送受信のみ行うようにする。また、受信したメールも速やかに保存し、パソコン通信をログアウトしてからメール本文を読むようにして、とにかく接続時間をできるだけ短くする工夫が必要だった。

また、パソコン通信はインターネットと同様に世界中からアクセス可能だが、ダイヤル先が市外や海外だと従量課金される電話料金が莫大になるので、その点も留意が必要であった。もっとも、サービス事業者側もこれを考慮して、海外にもいくつかアクセスポイント（ダイヤル先のセンター）を設けてはいた。

しかしこの「料金」という点が、パソコン通信があとから登場するインターネットに負ける最大の理由であると思われる。

パソコン通信サービスの特徴「安全性」

パソコン通信の主なサービスは、前述の「草の根ＢＢＳ」と同様だが、電子掲示板は「フォーラム」や「ＳＩＧ（Special Interest Group）」と呼ばれ、趣味・関心事などテーマ別に階層分類され、充実していた。会員が増えるにつれて、フォーラムの数も増えていった。

フォーラムの中には、今日のネット通販の元祖にあたる商用のショップもあり、大手百貨店が贈答品の販売を行っていた。後述するが、セキュリティ面でインターネットより安全なので、費用決済用のクレジットカード情報も安心して送信できた。今日のように高価な「ＳＳＬ（Secure Sockets Layer）」で暗号化しなくても、傍受される心配はなかった。

フォーラムは今日のＷｅｂと類似した機能であり、Ｗｅｂと同様に他のフォーラムサイトにリンクする機能もあった。ただし、フォーラムにアクセスするには、フォーラムごとに会員登録が必要で、掲載可能な情報はテキストに限定されていた。

新規にフォーラムを開設する場合は、所定の手続きが必要で、勝手には開設できない点がインターネットのＷｅｂとは異なる。また、各フォーラムには管理者（開設者）がいて、掲示板に情報を掲載するにあたっては管理者の承認が必要であり、不適切な内容は管理者権限で削除されてしまっていた。

安全なソフトのダウンロードサービス

当初、電子メールには、今日のようなデータファイルを添付して送信する機能はなかったが、その後、テキスト以外の任意のデータ（「バイナリデータ」と呼ばれる）を送信できる「ＸＭＯＤＥＭ（エックスモデム）」と呼ばれるファイル転送サービスが使用可能になった。

そうすると掲示板に、自作したパソコンソフトなど容量が軽量なデータファイルの掲載も可能になった。これにより、今日でも使用されているファイルアーカイブツール（複数のファイルを圧縮して単一のＺＩＰファイル等にまとめる機能）などのフリーウェア（完全に無償）やシェアウェア（ソフトが気に入ったらお金を払う）が生まれた。

この当時は、ソフトを配布する場合は、フロッピーディスクやＣＤ－ＲＯＭなどの記録媒体に収録して、雑誌の付録や展示会で配布するといった手段しかなかった。しかし結構な手間と費用がかかるため、これを個人的に行うのは困難で、個人が自作したソフトを無償で配布する手段はなかった。しかし、このパソコン通信の掲示板により、ソフトウェアのダウンロード配布という新たな文化が芽生えたのである。

この頃は、コンピュータウイルスなど悪意のあるプログラムを掲載しても、気づいた誰かが管理者に通報すれば、即座に削除された。また、掲載者の特定が容易なため、違法な掲載を行う人は、フォーラム及びパソコン通信サービスのメンバーから除名になる。したがって、ソフトのダウンロードを安全に安心して行うことができた。

今日のインターネットでは、特にＷｉｎｄｏｗｓパソコン向けソフトの流通は〝無法地帯〟である。しかし、「Ａｐｐ Ｓｔｏｒｅ」や「Ｇｏｏｇｌｅ Ｐｌａｙ」といったスマホアプリの流通は、パソコン通信時代と同様にアップル社やグーグル社により管理され、アプリの安全性が担保されている。

●パソコン通信による電子メールの安全性

パソコン通信による電子メールのサービスについては、今日のインターネットと同様だが、原則としてサービス会員同士の送受信に限定されるという点で異なる。「ローミング」と呼ばれるオプションの有償サービスを用いれば、ニフティサーブ会員から、例えばNECが運営する「PC-VAN」など、他社のパソコン通信サービスの会員宛てに電子メールを送ることはできた。

また、今日のインターネットメールのようには、送信者を〝詐称〟することは難しいため、迷惑メールやウイルス添付メールを送信する悪意のある人は皆無だった。前述のように、フォーラムの掲示板に悪意のあるプログラムをアップすることも困難であった。

したがって、今日のようにパソコンに有償または無償のウイルス対策ソフトをインストールしたり、定期的にパターンファイルやOSのアップデートを行ったりといったセキュリティ対策のために、余分なコストをかけて気を配る必要はなかった。

インターネットで失われたメール操作機能

パソコン通信の電子メールサービスで重宝された機能で、今日のインターネットメールでは実現できなくなったものが二つある。それは、送信メールの開封確認と、誤送信メールの取り消し機能である。

これらの機能を疑似的に行えるように見せかけたメーラーソフトもあるが、パソコン通信が備えていた機能とは根本的に異なる。

インターネットメールでは、ユーザが送信した電子メールはいくつかのサーバーコンピュータを経由して、バケツリレーにより相手先に転送される。送信ユーザからは、相手のコンピュータに届いたか否か、受信した電子メールを開封したか否かを追跡する手段がない（逆に、受信側からは追跡可能だが）。

また、一度メールを送信すると、複数のサーバーコンピュータに勝手に転送されてしまうため、送信ユーザが転送されたメールを削除することは困難である。

これに対してパソコン通信では、ユーザが送信した電子メールは、アカウント別に中央のコンピュータに一括保管される。そのため、宛先のユーザがアクセスしたかどうかを確認することは容易である。また、宛先ユーザが送信したメールを開封する前であれば、送信したメールを削除して取り消すことも容易にできるのだ。

パソコン通信により「音響モデム」が進化

こうしてユーザたちがパソコン通信サービスを使用している間に、パソコンでカラー画像が扱えるようになり、電子メールやフォーラムで静止画の添付が可能になった。それに伴って、音響モデムの伝送速度も半年で二倍くらいのペースで急速に進歩した。

パソコン通信サービス事業者がサービスを開始した頃は300bps程度だったが、その後、各サービス事業者がインターネット・プロバイダー事業（ニフティサーブでは「@nifty」）にも参入する二十世紀末頃には、音響モデムの伝送速度は56Kbps（特殊なモデムでは64Kbpsも可）に到達した。これは、電話回線に音声通話データを流す際、仕様上の理論的な限界速度である。

この頃には弁当箱のような形態にコンパクトになった音響モデムは、さらにコンパクトになり、ノートパソコンでも56Kモデムが標準で内蔵されるようになった（現在はこれに代わって「無線LAN」が内蔵されるようになった）。

また、第9章で述べたパーソナルワープロにも音響モデムが内蔵され、ニフティサーブなど大手パソコン通信事業者の通信ソフトが標準実装されるようになった。

電話回線でブロードバンドも可能に

このように、パソコン通信サービスの普及が、音響モデムを技術的限界まで押し上げた。しかし、電話回線でこれ以上の伝送速度を実現するには、データを信号音に変換して音声で伝送するといったこれまでの方法では不可能だ。さらなる高速化を実現するためには、データを音声に変換せず、周波数の高い電気信号のまま伝送を可能にするというパラダイムシフトが必要であった。

これを踏まえて、既設の電話回線で50Ｍｂｐｓ（約千倍）までの伝送速度を可能にした方式が「ＡＤＳＬ（非対称デジタル加入者線：Asymmetric Digital Subscriber Line）」である。

ＡＤＳＬは、別途進行中の光ファイバケーブルと並び、ブロードバンド通信方式の一つになる。既設の電話回線をそのまま利用できる点で、光ファイバよりコスト面で優位であった。

ＡＤＳＬが果たしたもう一つの役割は、「常時接続」だ。電話回線に音響信号を流していた時は、ダイヤルアップ接続による電話交換が必要だった。しかしＡＤＳＬの場合は、電話交換は不要で、回線はつなぎっぱなし（かけ放題）でいい。

●パソコン通信からパケット通信へ

インターネットで流れるデータは、パソコン通信で流れるデータとは異なり、パケットの形態で伝送される（パケット＝小包。送信データを小さなまとまりの単位に分割したデータのブロック）。各パケットには宛先が記入されているので、回線を切り換えずに常時接続した状態でも、パケット自身が勝手に適切な経路に迂回しながら伝送される。

したがって、通信料金も「従量制」ではなく「定額制」にすることが可能になった。このようなパケット通信の魅力により、パソコン通信事業者は、インターネット・プロバイダー事業も開始した。

例えば、「ニフティサーブ」は前述のように「＠ｎｉｆｔｙ」というプロバイダー事業を開始した。これにより、パソコン通信の会員も、料金がリーズナブルなインターネットのユーザにスムーズに移行することができた。

ＡＤＳＬの通信料金が定額制になったことから、プロバイダーの料金も定額制にせざるを得なくなった。前述のように、パソコン通信には安全性や電子メールの開封確認などメリットが少なくないものの、コストメリットが格段に大きいインターネットに移行する流れには逆らうことはできなかった。

　その結果、二〇〇六年三月末で「ニフティサーブ」はサービスを終了し、パソコン通信は平成中頃で完全に幕を閉じたのである。

おわりに

本書の草稿は令和二年の〝ステイホーム〟が叫ばれたＧＷの直前から執筆を開始し、五月下旬に最終章まで辿り着いた。

令和元年末頃に中国の武漢市を起点に日本を含め全世界に感染拡大し、多くの犠牲者を出してきた新型コロナウイルス（ＣＯＶＩＤ－19）により、日本では令和二年四月七日に最初の緊急事態宣言が発令された。これにより、「人との接触を八〇％削減すること」を念頭に、外出自粛の状態が二ヶ月近くも続き、私も〝巣ごもり生活〟の中、静かな環境で執筆を進めることができた。

思い返せば、令和二年五月に出版となった前書の執筆を開始したのも、令和元年のＧＷ頃だった。この年はＧＷで元号が変わり、日本中が祝賀ムードに沸き、国内外に出かける日本人旅行者の数も過去最大だったようである。そんなお祭りムードの中で、私は様々な誘惑に負けないよう懸命に、初めての書籍の執筆に専念していた。

そうした令和元年に比べると、いわば天国から地獄に落とされた令和二年は、執筆環境という面では、地獄の中で竜宮城に巣ごもりしているような状態で、作業に集中しやすく効率良く筆が進んだように思われる。

令和二年五月二十五日まで続いた緊急事態宣言により、これまでかけ声だけでなかなか浸透してこなかった「テレワーク」や「オンライン授業」という、ネットワークを活用した新しい働き方や学び方がやむを得ず試行されるようになった。

毎日のように報道される新型コロナのテレビ番組においても、出演者がいる複数のスタジオや自宅をつなぎながら、リモートで取材や対談が行われる場面が繰り返し登場するようになった。また、ネットワークとICT機器を活用した「Zoom」(米国Zoomビデオコミュニケーションズ社)などのテレビ電話やテレビ会議システムの利用が一気に拡大した。

テレビ会議システム自体は、私が社会人になった頃から開発が進められていた。特にインターネットが登場してからは、複数の拠点をつないだ多地点会議システムの開発が進められ、会社の業務で時々使われていた。

そのため、今回の渦中で使用されたテレビ会議システムでは、長年の技術開発の成果をうかがい知ることができた。例えば、百を超える拠点がつながっても(「Zoom」の場合は百を超えると有償)、途切れることなく、なんとか会議は持ちこたえていたし、画面が小さく分割され、百人以上の方が会議に参加できるようになっていた。また、百以上の小画面に分割されても各々の顔が認識でき、ディスプレイの解像度の進歩もうかがい知ることができた。

特に驚いたのは、三十人ぐらいのオーケストラの楽団員が各々自宅から演奏会に参加し、リモートによる合奏をそれなりに実現できていた点である。ただ、スタジオ収録でないため、音楽に残響が混ざって聞こえることや、楽器音の品質はやや不自然であり、映像の遅れは顕著であった。しかし、音楽の遅れはそれほど目立たず、各楽団員の演奏が比較的合っていた。従来のオーケストラ演奏と違い、指揮者だけでなく、各楽団員と対面しながら演奏できるので、むしろ合わせやすいのかもしれない。また、途中で通信が途切れることが比較的少なく、最後までなんとか演奏を継続できていた。

二〇二一年に開催が延期になった東京オリンピックに向けて開発が進められてきた、5Gを含むネットワーク技術の成果が実感できた。

ICTの分野では、結構昔から研究されていて、何度か一過性のブームを繰り返し、三度目以上のブームが叫ばれている技術が少なくない。その一つに、二〇一六年に三度目のブームと叫ばれた「バーチャルリアリティ（VR）」がある。これは、ゲームには活用されているものの、社会に変革をもたらすほどのインパクトには欠けていた。

VRにからむエピソードとして、知る人ぞ知る米国リンデン・ラボ社が二〇〇三年にリリースした「セカンドライフ」というWeb版ツールがある。これはゴーグルを必要としないVRで、私が中学生の頃に流行ったタカラトミーのボードゲーム「人生ゲーム」の三次元版といえる。ゲーム参加者は仮想通貨を用いて不動産を購入したりショップを開いたりできるので、ビットコインの元祖ともいえる。

一時期、大型書店のコンピュータコーナーに、この「セカンドライフ」の解説書が平積みにされたワゴンが臨時開設されるほどのブームになったが、翌年には影も形もなくなってしまった。今や、「セカンドライフ」の解説本といえば、定年退職者対象の〝人生攻略本〟の方がメジャーである。

話を、再度ブームが到来したといわれる通常のゴーグルを使うタイプのVRに戻そう。

このVRがイマイチなのは、ゴーグルを付けて楽しんでいる本人以外には映像が見えず、ゴーグルを付けて体を動かす姿が、第三者には滑稽に映ることが起因しているようである。

今回の新型コロナ危機では、臨時休館中のミュージアムなどに対して、VRの仮想体験（テレイグジスタンス）などのICT技術の活用を促進させた。

GPSを内蔵したケータイ、スマホが普及したことにより、二〇一一年の東日本大震災の時には、都心から徒歩で帰宅する人々の行列の様子を可視化することができた。ケータイ電話はつながらなかったが、ＧＰＳやデータ通信は稼働し続け、ＩＣＴ技術が脚光を浴びた初の出来事であった。今回の渦中でも、このスマホの位置情報の収集技術が活用されて、一時期は毎日のように駅周辺や繁華街の人混みの状態が計測・報道されていた。

また、海外ではスマホにより、自分が誰と接触したかが記録されるという、個人情報保護に抵触しそうなサービスの開発が進められた。これに追従して、日本でも厚生労働省により、スマホの「ブルートゥース（近距離ワイヤレス通信）」機能を用いた「ＣＯＣＯＡ」と称する新型コロナウイルス接触確認アプリも開発されている。一定時間接触した人の中から感染者が出た場合に、自分が濃厚接触者であることが通知され、ＰＣＲ検査を無償で受けることができ、場合により隔離の対象になる。

このように、難しいカタカナ用語がたくさん飛び交い、やや敬遠されがちなＩＣＴ技術が、特に災害時において身近に活用される場面が増大している。

そのため、今後は多くの人々がＩＣＴ技術に対する苦手意識をある程度克服して、それなりに理解して使っていかなくてはならない時代に突入したと思われる。これが、本書を執筆する第一の動機になった。

たまたま私は、学生時代から社会人時代の四十年強の間、発展途上のＩＣＴ技術にたっぷり浸かっていた。そのため、多くの方々に今日のＩＣＴ技術のバックグラウンドをある程度知ってほしいと思い、自分の実体験を基にした話をまとめることにした。

私が大学生になる前のコンピュータ関連の出来事は、私が学生時代に使用した教科書など専門書が多数出版されている。一方、私が社会人になってインターネットが登場し、「Ｗｅｂ 2.0」が叫ばれた今世紀以降の出来事は、史実がネット上にビッグデータとして蓄積されており、併せて、関連する書籍も多数出版されている。

一方、これら二つの時代の中間である、私の学生時代から社会人の前半の二十世紀までの間は、コンピュータの進歩がすさまじかった割に記録が乏しいことに気づいた。

この期間は、様々なＩＣＴ関連の機器が出ては消えを繰り返し、〝黄金期〟といえる面白い時代であった。しかし、あいにくインターネットが社会インフラになる前だったため、これらの記録は残念ながらネット上にはあまり残っていない。

もちろん、この間にも膨大な専門書が出版されたが、出版が技術の進歩に追従できない状態で、新刊書が出ては消えを繰り返してきた。「ムーアの法則」に準じて、発行から一年半を経過した専門書は使い物にならず、古本屋さんでも買ってくれない状態であった。

即ち、この期間のめざましい技術変革を一望できる出版物を出す機会が逃されたように思われ、この面白い黄金期の時代について、私の記憶を頼りに伝えたいというのが、本書を執筆する第二の動機なのである。

全十二章のうち、第7章、第8章、第9章、第12章の四章以外は、アナログからデジタル方式に移行することにより、コンピュータに応用されるようになったものである。

医療分野では、「神の手を持つドクターXによる治療」より「普通の医師でできる標準治療」が、医療従事者の立場では推奨される。しかし患者の立場では、病気が確実に治るなら「神の手を持つドクターX」にすがりたいという気持ちになる。そのため当面は、「神の手を持つドクターX」が失業する心配はない。ちなみに、「ドクターX」はドラマの世界で〝失敗しない〟架空の外科医であるが、「神の手を持つ」と言われている脳神経外科のドクターは実在している。

アナログ方式では、「神の手を持つ日本の職人」でないと製造できない部品が結構あった。しかし、デジタル方式に移行すると、「どんな国のどんな職人」でも製造できるようにコモディティ化されて、日本の競争力を失ってしまった。

したがって、デジタル化の流れに乗りながらも、アナログ方式を残存させないと、「神の手を持つ日本の職人」の居場所がなくなってしまい、日本の勢いが復活する可能性はしばらくないといえる。

コロナ禍において、感染被害が日本に比べ桁違いに顕著な米国は、Ｚｏｏｍビデオコミュニケーションズ社をはじめ、ＧＡＦＡ（グーグル、アマゾン、フェイスブック、アップル）が莫大な収益増になっている。

これに対して日本では、デジタル化、特にＤＸ（デジタル・トランスフォーメーション）の遅れが浮上し、今さらながらデジタル庁を発足しようという国家政策も始動した。しかし、デジタルでは米国と互角に戦うことはもはや困難で、ポストコロナの時代においては、ＳＤＧｓ（持続可能な開発目標：Sustainable Development Goals）など地球環境対策の分野で、かつてのアナログ思考に回帰することがポイントになるように思われる。

ガラパゴスに陥らず、標準化された範囲で、日本でないと設計・製造できないアナログ的な特色をいかにして打ち出すかが、日本が生き残るためのポストコロナ時代の課題といえるだろう。

最後に、本書で紹介した道具を使用する機会を与えていただいた、家庭生活や学生生活、及び社会人生活でお世話になった皆様方、そして我が半生に多くの楽しみと潤いを与えてくれた全十二章で紹介した道具たちに、改めて感謝の意を表したい。

著者プロフィール

茂出木 敏雄（もでぎ としお）

昭和 34 年、東京都足立区に生まれる。

足立区立新田小学校・中学校（現・足立区新田学園）を経て、昭和 53 年、都立白鷗高等学校を卒業。

昭和 57 年、千葉大学工学部電子工学科を卒業。

同年、大日本印刷株式会社に入社し、平成 7 年、郵政省・通信総合研究所（現、国立研究開発法人・情報通信研究機構）の特別研究員として約 3 年出向。

令和元年末、同社を定年退職し、現在、尚美学園大学・情報表現学科の講師。

既刊書に『我が半生　昭和・平成の習い事・通い事十色』（2020 年　文芸社刊）などがある。

情報化社会の担い手
我が半生を彩った昭和・平成の道具たち

2021年 6 月15日　初版第 1 刷発行

著　者　茂出木 敏雄
発行者　瓜谷 綱延
発行所　株式会社文芸社
〒 160-0022　東京都新宿区新宿 1－10－1
電話　03-5369-3060（代表）
03-5369-2299（販売）

印刷所　株式会社平河工業社

ISBN978-4-286-22696-5